This book belongs to the John ...

The sale of this book is limited to North and Central America, Hawaii, and the Islands of the West Indies, excluding Martinique and Guadeloupe.

— Berlitz Publications, Inc.

BERLITZ

My First Spanish Book
Mi Primer Libro de Español

BY ROBERT STRUMPEN-DARRIE
CHARLES and VALERIE BERLITZ
and the Staff of
THE BERLITZ SCHOOLS OF LANGUAGES

Illustrations by SHEL and JAN HABER

GROSSET & DUNLAP • Publishers • NEW YORK

MY FIRST SPANISH BOOK

In today's truly international world, Americans have become increasingly aware of the importance of starting the foreign language training of children as early as possible.

This book opens the door of Spanish to children because it is written in terms of their own frame of reference. Linguistic research, conducted in Berlitz Schools throughout the world, has shown that children learn much more quickly when they deal with pictures, colors, objects, and situations with which they themselves are familiar. In this way, they participate in the lessons as if they were playing a game. The lessons and exercises of *My First Spanish Book* are designed so that Spanish is the only language needed while training. The demonstrative pictures make translation unnecessary and teach the child Spanish through everyday situations he would encounter if he were actually a Spanish child. Thus, learning Spanish becomes an enjoyable experience for the child and equally enjoyable for the teacher or parent who is guiding his first steps into a new and fascinating world.

The teacher should "act out" the lessons on a basis of demonstration and immediate participation by the child or children. Programmed exercises at the end of each lesson provide an easy and effective check on the child's assimilation of the material. Even more guidance is given the teacher in the following features:

1. All words used in lessons, as well as an easy phonetic guide to their pronunciation, are found in the special vocabulary starting on page 120.

2. Explanation of exercise content, key to the exercises, informative notes about sentence structure and verb forms, and hints about the most effective mode of presentation of the lessons are contained in the section beginning on page 104.

3. Each exercise should be given orally first and then in writing. Students may write their answers to the exercises either in the book or on separate sheets of paper, copying the questions also, for additional practice in writing. In general, all teaching, even instructions, should be conducted only in Spanish, so that the child acquires Spanish effortlessly and naturally as a normal means of communication, which, of course, is exactly what it is to over one hundred and fifty million people.

Library of Congress Catalog Card Number: 65-13769

© 1965 by Berlitz Publications, Inc.
All rights reserved under International and Pan-American Copyright Conventions.
Published simultaneously in Canada.   Printed in the United States of America.

CONTENTS

Primera Lección

un tren

una bicicleta

un gato

una pelota

un libro

un perro

una casa

¿Es una pelota?

Sí; es una pelota.

¿Es un libro?

Sí; es un libro.

¿Es un gato?   Sí; es un gato.

¿Es un gato?   No; no es un gato.

¿Es un tren?   No; no es un tren.

No es un gato.
No es un tren.   Es un perro.
¿Qué es esto?

¿Qué es esto?   Es una bicicleta.

¿Qué es esto?   Es un libro.

¿Qué es esto?   Es una pelota.

¿Qué es esto?  Es un tren.

¿Qué es esto? Es un gato.

¿Es una bicicleta?  Sí; es una bicicleta.

¿Es un libro?  No; no es un libro.
Es una casa.

¿Es un gato o un perro? Es un gato.

¿Es un libro o una pelota?  Es un libro.

¡Muy bien!

1	2	3	4	5
uno	dos	tres	cuatro	cinco

EJERCICIO I

Circle correct words. Score 10 points for each correct answer.

Example: Es (un libro) . . . . un tren.

1. Es una bicicleta . . . . . una pelota.

2. Es una casa . . . . . una bicicleta.

3. Es un perro . . . . . un gato.

4. Es una bicicleta . . . . . un libro.

5. Es un libro . . . . . un tren.

12

SCORE_____POINTS.

EJERCICIO II

Write answers to these questions. Score 10 points for each correct answer.

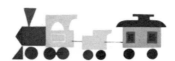

Example: ¿Qué es esto?   <u>Es un tren.</u>

1. ¿Qué es esto?_____

2. ¿Qué es esto?_____

3. ¿Es un libro o un gato?_____

4. ¿Es un perro o un gato?_____

5. ¿Es una bicicleta?_____

SCORE_____POINTS.

EJERCICIO III

Complete the following sentences. Score 10 points for each correct answer.
Spaces indicate number of letters in missing words.

Example: Es <u>una</u> <u>bicicleta</u>.

1. Es __ __ __ __ __ __.

2. Es __ __ __ __ __ __ __.

3. Es __ __ __ __ __ __ __ __ __ __ __.

4. Es __ __ __ __ __ __ __.

5. Es __ __ __ __ __ __ __.

14

Segunda Lección

un sombrero   una chaqueta

un guante

un pantalón

una falda

un zapato

una blusa

un abrigo

un vestido

una camisa

un cinturón

una gorra

una media

¿Qué es esto?

Es una chaqueta.

¿Es un guante o una media?

Es una media.

¿Es un zapato?

No, señor; no es un zapato.
Es una falda.

¿Es un sombrero?

Sí, $\begin{cases} \text{señor} \\ \text{señora; es un sombrero.} \\ \text{señorita} \end{cases}$

¿Qué es esto?

Es una camisa.

¡Excelente! ¡Hasta mañana!

6	7	8	9	10
seis	siete	ocho	nueve	diez

EJERCICIO I

Circle correct words. Score 10 points for each correct answer.

Example: <u>una camisa</u> . . . . (<u>un sombrero.</u>)

1. <u>una camisa</u> . . . . . <u>un guante.</u>

2. <u>un pantalón</u> . . . . . <u>un zapato.</u>

3. <u>un sombrero</u> . . . . . <u>un cinturón.</u>

4. <u>una chaqueta</u> . . . . . <u>un vestido.</u>

5. <u>un cinturón</u> . . . . . <u>un zapato.</u>

SCORE_____POINTS.

EJERCICIO II

Write answers to questions. Score 10 points for each correct answer.

Example: ¿Qué es esto?   <u>Es un guante.</u>

1. ¿Qué es esto?   _____

2. ¿Qué es esto?   _____

3. ¿Es un sombrero?   _____

4. ¿Es una camisa?   _____

5. ¿Es un pantalón?   _____

SCORE_____POINTS.

EJERCICIO III

Fill in blank spaces. Score 10 points for each correct answer.

Example: Es una gorra.

1. Es __ __ __ __ __ __ __ __ __.

2. Es __ __ __ __ __ __ __ __.

3. Es __ __ __ __ __ __ __.

4. Es __ __ __ __ __ __ __ __ __.

5. Es __ __ __ __ __ __ __ __.

19   SCORE_____POINTS.

Tercera Lección

El:	negro	blanco	rojo	pardo	amarillo	verde	gris	azul	morado
La:	negra	blanca	roja	parda	amarilla	verde	gris	azul	morada

El globo es rojo.

La rosa es roja.

El guante es amarillo.

La falda es amarilla.

El teléfono es negro.

La bicicleta es negra.

El gato es blanco.

La pelota es blanca.

El perro es gris.

La gorra es gris.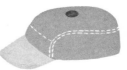

El autobús es verde.

La mesa es verde.

¿De qué color es la pelota?

La pelota es verde y azul.

¿De qué color es la casa?

La casa es blanca, negra y roja.

¿De qué color es el árbol?

El árbol es verde, señor.

¿Es verde el automóvil?

Sí, señor; el automóvil es verde.

11	12	13	14	15
once	doce	trece	catorce	quince

EJERCICIO I

Color the pictures the same as the pictures on pages 20 and 21.
Circle correct words. Score 10 points for each correct answer.

Example: Es (la rosa roja) . . . . . el gato blanco.

1. Es el automóvil verde . . . . . el teléfono negro.

2. Es el árbol verde . . . . . la casa roja.

3. Es la bicicleta negra . . . . . el automóvil verde.

4. Es el gato blanco . . . . . el perro gris.

5. Es el guante amarillo . . . . . el globo rojo.

SCORE_____POINTS.

22

EJERCICIO II

Color the pictures the same as the pictures on pages 20 and 21.
Write answers to questions. Score 10 points for each correct answer.

Example: ¿De qué color es la pelota? <u>La pelota es blanca.</u>

1. ¿De qué color es el autobús?_____

2. ¿De qué color es el teléfono?_____

3. ¿Es el árbol blanco o verde?_____

4. ¿Es el gato azul o blanco?_____

5. ¿De qué color es el perro?_____

SCORE_____POINTS.

EJERCICIO III

Complete these sentences. Score 10 points for each correct answer.

Example: El <u>globo</u> es <u>rojo</u>.

1. El _ _ _ _ _ es _ _ _ _ _.

2. La _ _ _ _ es _ _ _ _.

3. El _ _ _ _ _ _ es _ _ _ _ _.

4. El _ _ _ _ _ _ _ es _ _ _ _ _.

5. El _ _ _ _ _ _ _ _ es _ _ _ _.

24

SCORE_____POINTS.

Cuarta Lección

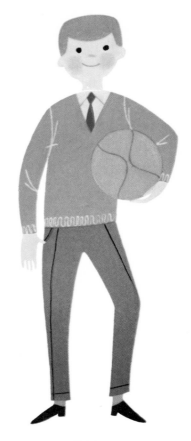

Carlos

Pablo

Carlos es pequeño.

Carlos es más pequeño que Pablo.

El pantalón de Carlos es corto.

¿Es largo el pantalón de Carlos?

No; el pantalón de Carlos no es largo. Es corto.

¿Es el pantalón de Carlos más corto que el pantalón de Pablo?

Sí; el pantalón de Carlos es más corto que el pantalón de Pablo.

¿Es Carlos más pequeño que Pablo?

Sí; Carlos es más pequeño que Pablo.

¿Es Pablo más pequeño que Carlos?

No; Pablo no es más pequeño. Es más grande que Carlos.

Pablo es grande.

Pablo es más grande que Carlos.

El pantalón de Pablo es largo.

Rosita

Juanita

Rosita es pequeña.
La falda de Rosita es corta.
¿Es corta la falda de Rosita?
Sí; la falda de Rosita es corta.

Juanita es grande.
La falda de Juanita es larga.
¿Es corta la falda de Juanita?
No; la falda de Juanita no es corta.
La falda de Juanita es larga.

La falda de Juanita es más larga que la falda de Rosita.

El elefante

El ratón

El elefante es grande.
¿Es grande el elefante?
Sí; el elefante es grande.

El ratón es pequeño.
¿Es grande el ratón?
No; el ratón no es grande. Es
pequeño.

El elefante es más grande que el ratón.
El ratón es más pequeño que el elefante.

26

un bebé   una niña   un niño   una mujer   un hombre

El bebé es pequeño. La niña es más grande que el bebé. El niño es más grande que la niña. La mujer es más grande que el niño. El hombre es más grande que la mujer. ¿Es el hombre más grande que el niño? Sí; el hombre es más grande que el niño. El hombre es el más grande de la familia. ¿Es el hombre el más grande de la familia? Sí; es el más grande.

16	17	18	19	20
diez y seis	diez y siete	diez y ocho	diez y nueve	veinte

EJERCICIO 1

Circle correct words. Score 10 points for each correct answer.

Example: El bebé es grande . . . . . (pequeño.)

1. El elefante es grande . . . . . pequeño.

2. El ratón es grande . . . . . pequeño.

3. El pantalón de Pablo es largo . . . . . corto.

4. La falda de Rosita es larga . . . . . corta.

5. La falda de Juanita es larga . . . . . corta.

SCORE_____POINTS.

EJERCICIO II

Answer questions. Score 10 points for each correct answer.

Example: ¿Es pequeño el elefante? No; el elefante es grande.

1. ¿Es grande el hombre?_____

2. ¿Es grande o pequeño el ratón?_____

3. ¿Es grande el bebé?_____

4. ¿Es corto el pantalón de Pablo?_____

5. ¿Es larga o corta la falda de Rosita?_____

SCORE_____POINTS.

EJERCICIO III

Fill in missing words. Score 10 points for each correct answer.

Example: El elefante es más <u>grande</u> que el ratón.

1. El hombre es más _ _ _ _ _ _ _ que el bebé.

2. El automóvil es más _ _ _ _ _ _ _ que la bicicleta.

3. La niña es _ _ _ _ pequeña _ _ _ la mujer.

4. El gato es más _ _ _ _ _ _ _ _ que
    el perro.

5. La falda de Rosita es _ _ _
    corta _ _ _ la falda de Juanita.

SCORE_____POINTS.

Quinta Lección

Este muchacho es Pierre. Él es francés.

Esta muchacha es Marie. Ella es francesa.

Los dos muchachos son franceses.

Este muchacho es alemán. Esta muchacha es alemana.
Los dos son alemanes.
¿Son ellos norteamericanos? No; no son norteamericanos.
Son alemanes.

Esta muchacha es china. El muchacho es chino también.
No son españoles. No son mexicanos. Son chinos.

Estos muchachos son rusos. Él es ruso. Ella es rusa. Los dos son rusos.

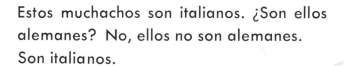

Billy es norteamericano. Betty es norteamericana también.
¿Son mexicanos los muchachos? No; ellos no son mexicanos.
Ellos son norteamericanos.

Yo soy Carlos Ortíz. Yo soy español. Ésta es Juanita.
Ella es española. Yo no soy italiano. Soy español. Nosotros
somos españoles.

Estos muchachos son italianos. ¿Son ellos
alemanes? No, ellos no son alemanes.
Son italianos.

EJERCICIO I

Circle correct words. Score 10 points for each correct answer.

Example: Esta muchacha es <u>alemana</u> . . . . . (china.)

1. Antonio es <u>español</u> . . . . . <u>chino.</u>

2. Este muchacho es <u>francés</u> . . . . . <u>alemán.</u>

3. Esta muchacha es <u>china</u> . . . . . <u>norteamericana.</u>

4. Este muchacho es <u>español</u> . . . . . <u>ruso.</u>

5. Nosotros somos <u>franceses</u> . . . . . <u>norteamericanos.</u>

SCORE_____POINTS.

34

EJERCICIO II

Write answers to questions. Score 10 points for each correct answer.

Example: ¿Es española la muchacha? No; ella no es española.
Ella es alemana.

1. ¿Es esta muchacha alemana?_____

2. ¿Es este muchacho francés?_____

3. ¿Es francesa la muchacha?_____

4. ¿Son franceses los muchachos?_____

5. ¿Somos nosotros norteamericanos?_____

SCORE_____POINTS.

EJERCICIO III

Answer questions. Score 10 points for each correct answer.

Example: ¿Soy yo una alumna? No, señorita; Ud. no es una alumna. Ud. es la profesora.

1. ¿Es Juan un alumno o un profesor?_____

2. ¿Es Ud. un alumno?_____

3. ¿Somos nosotros norteamericanos o chinos?_____

4. ¿Son los niños grandes o pequeños?_____

5. ¿Son grandes las niñas?_____

SCORE_____POINTS.

Sexta Lección

1. Éste es el globo de Roberto.
   Es su globo.

2. ¿Es su globo, Roberto?

   Sí, señora; es mi globo.

3. Éste es el globo de Rosa.
   Es su globo.

4. ¿Es su globo, Rosa?

   Sí, señora; es mi globo.

5. Ésta es la bicicleta de Roberto.
   Es su bicicleta.
   ¿Es su bicicleta, Roberto?

   Sí; ésta es mi bicicleta.

6. Ésta es la bicicleta de Rosa.
   Es su bicicleta.
   ¿Es ésta su bicicleta, Rosa?

   Sí; ésta es mi bicicleta.

7. ¿Es ésta mi bicicleta?

   No; no es su bicicleta, señora.

8. ¿Es la bicicleta de Roberto?

   No; no es su bicicleta.

9. ¿De quién es la bicicleta?

Es mi bicicleta.

10. Bien, es la bicicleta de Rosa. Es su bicicleta.

11. Éstos son mis zapatos.
No son los zapatos de Roberto.
No son los zapatos de él.
Son mis zapatos.

12. Roberto, ¿de quién son estos zapatos?

Son de Ud.
Son sus zapatos, señora.

13. Éstos no son mis abrigos.
Son los abrigos de los niños.
Son sus abrigos.

14. Ésta es la casa de Roberto y de Rosa. Es su casa (de ellos).

15. ¿De quién es esta casa?

Es la casa de nosotros.
Es nuestra casa.

16. Éste es mi libro. Éste es el libro de Roberto. Éstos son nuestros libros.

EJERCICIO I

Answer questions in spaces as indicated. Score 10 points for each correct answer.

Example: Son los guantes de Juanita. Son <u>sus</u> guantes.

1. Es el globo de Juanita. Es __ __ globo.

2. Son los libros de Roberto. Son __ __ __ libros.

3. Es el sombrero de la señorita Valdés. Es __ __ sombrero.

4. Es el automóvil del señor Valdés. Es __ __ automóvil.

5. Es la casa de Roberto y Rosa. Es __ __ casa.

SCORE_____POINTS.

EJERCICIO II

Answer questions. Score 10 points for each correct answer.

Example: ¿Es éste el globo de Rosa? <u>Sí; es su globo.</u>

1. ¿Es ésta la bicicleta del muchacho?_____

2. ¿Es éste el sombrero de Roberto?_____

3. ¿Es ésta la bicicleta de Rosa?_____

4. ¿Es ésta la casa de Roberto y Rosa?_____

5. ¿De quién es éste globo?_____

SCORE_____POINTS.

EJERCICIO III

Change the following sentences into the negative.
Score 10 points for each correct answer.

Example: Éste es mi sombrero. Éste no es mi sombrero.

1. Éste es mi perro. _____ ___ ___ mi perro.

2. Éstos son nuestros libros. _____ ___ ___ nuestros libros.

3. Éste es su zapato de Ud. _____ ___ ___ zapato de Ud.

4. Ésta es mi bicicleta. _____ ___ ___ mi bicicleta.

5. Éstos son sus globos. _____ ___ ___ sus globos.

41   SCORE_____POINTS.

Séptima Lección

1. Buenos días, niños.

Buenos días, señorita.

2. Sara, ¿dónde está su cuaderno?

Aquí, en mi escritorio, señorita.

3. Y, ¿dónde está su cuaderno, Pedro?

Ahí, señorita; en la mesa.

4. Sí; aquí está. ¿Es éste su libro, Juan?

No, señorita; ése no es mi libro. Éste es mi libro.

5. ¿Cuál es su pluma, María? ¿Ésta o ésa?

Ésta es mi pluma.

6. Ésa es la pluma de Eduardo.

7. Yo estoy de pie. Sara está de pie.
Uds. no están de pie.
Uds. están sentados.

8. La mesa está delante de mí.
El mapa está detrás de mí.
La mesa está entre Uds. y yo.

9. Yo soy la profesora. Yo estoy en la clase. Uds. son alumnos.
Uds. están en la clase.

10. Rodolfo, ¿dónde está el diccionario español?

Está encima de la mesa, señorita.

11. ¡Muy bien! ¿Dónde está la bandera?

Arriba de la pizarra, señorita.

12. ¡Correcto! Y, ¿dónde está la pizarra?

Ahí, en la pared, debajo de la bandera, señorita.

EJERCICIO I

Circle correct words. Score 10 points for each correct answer.

Example: Elena está en el automóvil . . . . . en la casa.

1. Sarita está en la escuela . . . . . en el autobús.

2. Juan está en la casa . . . . . en la clase.

3. La bandera está debajo de la mesa . . . . . arriba de la pizarra.

4. Los lápices están al lado de la mesa . . . . . en la caja.

5. La profesora está de pie . . . . . sentada.

SCORE_____POINTS.

EJERCICIO II

Answer questions. Score 10 points for each correct answer.

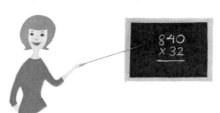

Example: ¿Dónde está la Srta. Méndez? Ella está en la escuela.

1. Está el profesor detrás de la pizarra?_____

2. ¿Está de pie la Srta. Méndez?_____

3. ¿Dónde están los alumnos?_____

4. ¿Dónde está el libro?_____

5. ¿Dónde está la canasta?_____

SCORE_____POINTS.

EJERCICIO III

Answer questions. Score 10 points for each correct answer.

Example: ¿Está Lucía sentada? <u>Sí; está sentada.</u>

1. ¿Estoy yo en la clase?_____

2. ¿Está la niña al lado de la pizarra?_____

3. ¿Está Pedro en un tren?_____

4. ¿Dónde están Pedro y Juan?_____

5. ¿Estamos en el autobús?_____

SCORE_____POINTS.

Octava Lección

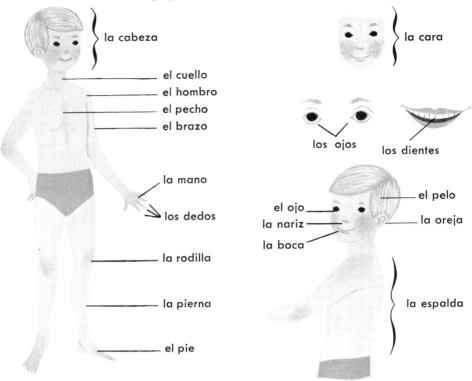

Éste es Juan. Juan tiene una cabeza, dos manos y dos pies.

¿Cuántos ojos tiene el niño? Juan tiene dos ojos.

¿Cuántos brazos tiene Juan? Él tiene dos brazos.

¿Tiene Juan pelo negro? No; él no tiene pelo negro; tiene pelo rubio.

¿Tiene María ojos negros? Sí; tiene ojos negros.

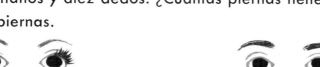

Yo tengo dos manos y diez dedos. ¿Cuántas piernas tiene Ud.?
Yo tengo dos piernas.

Yo tengo los ojos negros y Juan tiene los ojos negros. Nosotros tenemos los ojos negros.

Alfredo y Manuel tienen el pelo corto. Ellos tienen el pelo corto.

Pilar y María tienen el pelo largo. Ellas tienen el pelo largo. Ellas no tienen el pelo corto.

María tiene un sombrero en la cabeza.

Carlos tiene un globo en la mano.

26	27	28	29	30
veintiséis	veintisiete	veintiocho	veintinueve	treinta

EJERCICIO I

Circle correct words. Score 10 points for each correct answer.

Example: Juan tiene <u>ojos verdes</u> . . . . . (<u>ojos negros.</u>)

1. Alfredo y Manuel tienen pelo <u>corto</u> . . . . . <u>largo.</u>

2. La niña tiene <u>pelo negro</u> . . . . . <u>pelo rubio.</u>

3. Pablo tiene <u>una cabeza</u> . . . . . <u>dos cabezas.</u>

4. Yo tengo <u>seis dedos</u> . . . . . <u>diez dedos.</u>

5. Pilar y Juanita tienen <u>ojos amarillos</u> . . . . . <u>ojos negros.</u>

50

SCORE_____POINTS.

EJERCICIO II

Write answers to questions. Score 10 points for each correct answer.

Example: ¿Tiene Juan ojos verdes? No; él no tiene ojos verdes.
El tiene ojos negros.

1. ¿De qué color es el pelo de Juan?_____

2. ¿Tiene María pelo rojo?_____

3. ¿Cuántas manos tiene Manuel?_____

4. ¿Tienen las muchachas pelo corto?_____

5. ¿Tengo yo pelo corto?_____

51

SCORE_____POINTS.

EJERCICIO III

Answer questions. Score 10 points for each correct answer.

Example: ¿Cuántos ojos tiene Pilar? <u>Tiene dos ojos.</u>

1. ¿Tengo yo ojos negros?_____

2. ¿Tienen los niños pelo largo?_____

3. ¿Cuántos dedos tiene Juan en cada mano?_____

4. Tienen los hombres pelo corto?_____

5. ¿De qué color es el pelo de las niñas?_____

SCORE_____POINTS.

Novena Lección

1. Ésta es la familia González; el padre, la madre y los cuatro hijos. Pepito es un bebé. Pedro es el hermano de Pepito. Susana y Sara son hermanas.

2. Aquí están doña María de Martín y don Antonio Martín. Ellos son los padres de la señora González y los abuelos de los niños.

3. La familia González está en la casa de los abuelos.

¡Qué grandes están los niños!

Sí; Susana es ya una señorita.

4. Y Pepito, ¡qué bonito!

Sí, mamá; él tiene dos dientes ahora.

5. El bebé tiene pelo rubio como su padre y su hermano.

6. Sí; pero las niñas tienen pelo negro como su madre.

7. Pedro está muy alto. ¡Es casi un hombre!

Sí, abuelo. Estoy casi tan alto como Sara.

8. Pedro tiene dos años menos que Sara, pero está casi tan alto como ella.

9. ¿Toman las niñas lecciones de música este año?

Sí, mamá. Susana toma lecciones de piano. Sara toma lecciones de violín.

10. ¡Mis nietas son muy inteligentes!

¡Y mi nieto también!

11. Aquí hay chocolate y galletas.

Gracias, abuela.

12. ¿Está bueno el chocolate, hija?

¡Está excelente, Doña María!

Sí, mamá. ¡Está perfecto!

13. ¿No toman más chocolate, niños?

Tengo bastante, gracias. ¡Está muy bueno!

Un poquito más, por favor.

No; muchas gracias.

14. Aquí tienen una canasta de manzanas para su casa.

15. Muchas gracias, abuela.

Gracias. Tomo la más grande.

Y yo, la más pequeña.

16. Las manzanas son del árbol que está delante de la casa.

Hay muchas manzanas en ese árbol.

17. Aquí hay unas rosas de nuestro jardín.

Gracias, abuela.

18. Susana toma las rosas. Pedro toma las manzanas, y la señora González toma el bebé.

Adiós, niños.

¡Mil gracias! Adiós, adiós.

EJERCICIO I

Circle correct answer. Score 10 points for each correct answer.

 Example: Pepito es la madre . . . . . (el hermano)
de Pedro.

 1. Susana es la hermana . . . . . la hija de Pedro.

 2. La señora González es la madre . . . . . la abuela
de los muchachos.

 3. Don Antonio es el hijo . . . . . el padre de la Sra.
González.

 4. Pedro es el hijo . . . . . el hermano de Pepito.

 5. Pepito es el abuelo . . . . . el hijo del Sr.
y de la Sra. González.

SCORE_____POINTS.

EJERCICIO II

Write answers to questions. Score 10 points for each correct answer.

Example: ¿Es el Sr. González el padre de los niños?

Sí; él es su padre.

1. ¿Quién es esta señora?_____

2. ¿Es la Sra. González la madre de Pedro?_____

3. ¿Quién es este señor?_____

4. ¿Es el Sr. Martín el abuelo de los niños?_____

5. ¿Es él el padre de la Sra. González?_____

SCORE_____POINTS.

57

EJERCICIO III

Answer questions. Score 10 points for each correct answer.

Example: ¿Tomo yo el libro de español? <u>No; Ud. no toma el libro de</u>
<u>español. Ud. toma el libro de francés.</u>

1. ¿Qué toman los muchachos?_____

2. ¿Qué toma Pedro?_____

3. ¿Toma Susana una lección de violín?_____

4. ¿Tomamos una lección de español?_____

5. ¿Tomo yo una manzana?_____

SCORE_____POINTS.

Décima Lección

Ésta es la casa de la familia González. Es una casa muy bonita
con muchas ventanas.

Delante de la casa está el jardín. En el jardín hay dos árboles grandes
y muchas flores.

Hay rosas, tulipanes, y violetas.

Al lado de la casa está el garaje.
En el garaje está el automóvil del Sr. González.

¿Dónde está Pedro? Él está delante de la casa.

¿Qué hace Pedro? Él abre la puerta y entra en la casa.

Él cierra la puerta y pone los libros en una silla.

Él entra en la sala. En la sala hay un piano, unas sillas, una mesa pequeña

y un sofá. Hay un cuadro bonito en la pared.

La mamá de Pedro está sentada en la sala.

El niño está acostado en el sofá al lado de su madre.

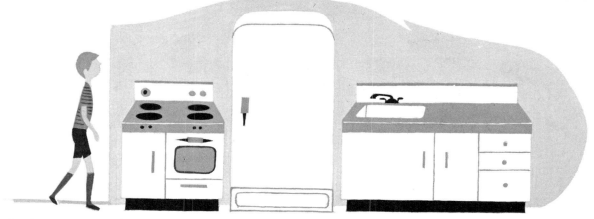

Pedro entra en la cocina.

¿Qué hace Pedro en la cocina? Abre la nevera, toma
una botella de leche y pone leche en un vaso.

¿Dónde están Susana y Sara?

Ellas están en el comedor.

Están sentadas delante de la televisión.

En la televisión hay un programa muy divertido.

31	32	33	34	35
treintiuno	treintidós	treintitrés	treintocuatro	treinticinco

EJERCICIO 1

Circle correct words. Score 10 points for each correct answer.

Example: Pedro pone su libro en el sofá . . . . . la silla.

1. En el jardín hay dos garajes . . . . . dos árboles.

2. Pedro está delante de la casa . . . . . la escuela.

3. La hermana de Pedro está en el jardín . . . . . la sala.

4. El niño está acostado en el sofá . . . . . la nevera.

5. Susana está sentada delante de la televisión . . . . . del piano.

SCORE_____POINTS.

EJERCICIO II

Answer questions. Score 10 points for each correct answer.

Example: ¿Ponemos los libros en la mesa? <u>Sí; ponemos los libros en la mesa.</u>

1. ¿Pongo mi sombrero en la silla?_____

2. ¿Qué toma Susana?_____

3. ¿Qué abre Pedro?_____

4. ¿Qué cierran las muchachas?_____

5. ¿Entran los alumnos en la escuela?_____

SCORE_____POINTS.

EJERCICIO III

Answer questions. Score 10 points for each correct answer.

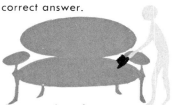

Example: ¿Qué hace Pedro? <u>El pone su sombrero en el sofá.</u>

1. ¿Qué hace el muchacho?_____

2. ¿Qué hacen los alumnos?_____

3. ¿Qué hacen las muchachas?_____

4. ¿Qué hace la profesora?_____

5. ¿Qué hace Susana?_____

SCORE_____POINTS.

Lección Once

Isabel, Carolina y Juanita van a la playa.

Ellas tienen toallas y trajes de baño.

La playa no está cerca de la escuela. La playa está lejos de la escuela.

Ellas no van a la playa a pie. Ellas van a la playa en autobús.

''¿No vienen Uds. con nosotras, Sara y Carlota?'' dicen las muchachas.

"No, gracias," dice Sara. "Yo voy al cine con Carlota."

Muchos otros niños van al cine también.

Ellos entran en el cine a las dos y salen del cine a las cinco.

Roberto y Carlos van al jardín zoológico. En las jaulas hay muchos animales salvajes. Los muchachos ven leones. tigres, elefantes,

monos, osos, y el hipopótamo. "¡Qué feo es el hipopótamo!" dice Roberto.

En el jardín zoológico hay serpientes, peces,
y pájaros.

"El pavo real es hermoso," dice Carlos.

Jaime, Jorge, Susana y Elena van a una piscina.

Los muchachos entran en la piscina y nadan en el agua.
Jorge nada bien. Jaime no nada bien. Él tiene frío.

Jaime sale del agua. "El agua está fría," dice él.
Las muchachas están sentadas cerca de la piscina, al sol.
Ellas no tienen frío. Tienen calor.

"Vamos al restaurante," dice Elena. "Muy bien," dicen los otros muchachos. Ellos entran en el restaurante y toman helados.

Ellos salen del restaurante y toman un autobús.

En la Calle Libertad, Elena y Susana dicen adiós a sus amigos.

"¡Hasta mañana!" dicen Jorge y Jaime.

36	37	38	39	40
treintiséis	treintisiete	treintiocho	treintinueve	cuarenta

EJERCICIO I

Circle the correct words. Score ten points for each correct answer.

Example: Roberto va a la piscina . . . . . al jardín zoológico.

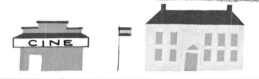

1. El cine está cerca . . . . . lejos de la escuela.

2. El hipopótamo es feo . . . . . hermoso.

3. Jorge y Jaime nadan en el agua . . . . . el restaurante.

4. Jaime sale de la piscina . . . . . del cine.

5. Los leones y los tigres están en la escuela . . . . . el jardín zoológico.

SCORE_____POINTS.

69

EJERCICIO II

Example: ¿Adónde van Isabel y Juanita? Ellas van a la playa.

1. ¿Está el cine cerca de la escuela?_____

2. ¿Adónde van los muchachos?_____

3. ¿Qué animales ven los muchachos?_____

4. ¿Va Sara a la playa?_____

5. ¿Tiene frío Jaime?_____

SCORE_____POINTS.

EJERCICIO III

Write answers to questions. Score 10 points for each correct answer.

Example: ¿Van al cine Sara y Carlos? Sí; ellos van al cine.

1. ¿Va Carlos al cine?_____

2. ¿Toma María el autobús?_____

3. ¿Qué animales son éstos?_____

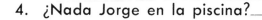

4. ¿Nada Jorge en la piscina?_____

5. ¿Sale Jaime de la piscina?_____

SCORE_____POINTS.

Lección Doce

Los muchachos están en el parque.

Pedro, Juan, Eduardo y los otros muchachos grandes juegan al fútbol.
Juan está cerca del arco. Los otros muchachos corren. Dos niños están
en el suelo.

Pilar, Consuelo y Juanita tienen un radio. La música es bonita. Carolina,
Elena, Carmen y Linda bailan. Anita no baila. Ella está sentada.

Antonio, Arturo, Carlos y Roberto juegan en la cancha de tenis. Tienen
raquetas y pelotas blancas. Ellos juegan con las pelotas y las raquetas.

Otros niños corren y saltan.

Los niños juegan con diferentes juguetes.

Felipe y Federico tienen un tren.   Hugo, Jorge y Pablo
juegan a las bolitas. Tomás y Vicente juegan con un trompo.

María salta la cuerda.   Anita y Olivia tienen muñecas.

"¡Qué bonitas son las muñecas!" dice María.

Isabel está en el columpio. Rafael juega con un cometa.

50	60	70	80	90	100	200
cincuenta	sesenta	setenta	ochenta	noventa	cien (o) ciento	doscientos

EJERCICIO I

Circle correct words. Score 10 points for each correct answer.

Example: Los niños están en la playa . . . . . el parque.

1. María corre . . . . . salta la cuerda.

2. Tomás y Vicente tienen un radio . . . . . un trompo.

3. Los muchachos juegan con los trompos . . . . . a las bolitas.

4. Los muchachos juegan al fútbol . . . . . al tenis.

5. Carlos y Roberto bailan . . . . . juegan al tenis.

74

SCORE_____POINTS.

EJERCICIO II

Answer the questions. Score 10 points for each correct answer.

Example: ¿A qué juegan los muchachos? <u>Ellos juegan a las bolitas.</u>

1. ¿Dónde están los muchachos?_____

2. ¿Juegan al fútbol las niñas?_____

3. ¿Baila Anita? _____

4. ¿Juegan los muchachos al fútbol o al tenis?_____

5. ¿Juegan los muchachos con un trompo?_____

75   SCORE_____POINTS.

EJERCICIO III

Answer the questions. Score 10 points for each correct answer.

Example: ¿Qué hacen las niñas? <u>Ellas corren.</u>

1. ¿Qué hacen Elena y Carmen?_____

2. ¿Qué hacen Carlos y Roberto?_____

3. ¿Qué hace María?_____

4. ¿Qué hacen los muchachos?_____

5. ¿Juega Anita? _____

SCORE_____POINTS.

Lección Trece

Los muchachos están en su casa. Ellos hacen sus ejercicios.

"¿Qué es esto, Pedrito?" pregunta la mamá.

"Es el alfabeto español, mamá," responde Pedro.

"¿Es el alfabeto español como el alfabeto inglés?" pregunta la madre.

"No, mamá, es diferente. El alfabeto español tiene más letras. Tiene las letras Ch, Ll y Ñ. que no están en el alfabeto inglés.

Aquí está el alfabeto español:

—A—B—C—CH—D—E—F—G—H—I—J—K—
L—LL—M—N—Ñ—O—P—Q—R—S—
T—U—V—W—X—Y—Z."

"¿Qué letra está después de la A?" pregunta la madre.

"La B está después de la A, mamá," responde Pedro.

"¿Qué letra está antes de la Z?" pregunta ella.
"La Y está antes de la Z," dice Pedro.

"¿Qué letra está entre la R y la T?"
"La S está entre la R y la T."

"¿Cuántas letras hay en la palabra 'papel'?"
pregunta la madre.
"Hay cinco letras en la palabra 'papel'," responde Pedro.

"¿Cuántas palabras hay en la frase 'El libro es rojo.'?" la mamá pregunta.
"Hay cuatro palabras en esta frase, mamá," Pedro responde a su madre.
"Muy bien," dice ella.

Susana dice: "Yo leo, escribo y hablo español."

Pedro dice: "Nuestra profesora lee, escribe y habla bien la lengua castellana."

"En octavo grado leemos, escribimos y hablamos español y francés," dice Susana.

"Naturalmente, Susana," responde la madre. "Los alumnos de octavo grado son grandes. En segundo grado los alumnos no son grandes; son pequeños."

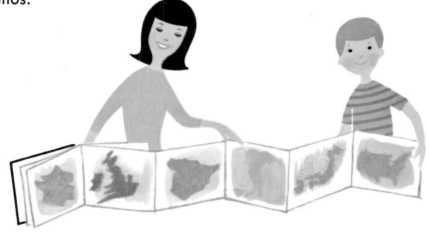

Susana lee un libro. "¿Qué libro es éste?" pregunta Pedro a Susana.

"Es un libro de geografía," responde Susana a Pedro. "Es muy interesante."

"Aquí hay mapas de diferentes países, Francia, Inglaterra, España, Italia, Japón, Estados Unidos y muchos otros."

79

"Son las ocho, niños," dice la madre.

"Muy bien, mamá," responden los muchachos.

"Buenas noches, hijos," dice la madre.

"Muy buenas noches, mamá," dicen ellos.

A las ocho en punto los muchachos cierran sus libros y van a sus dormitorios.

300	400	500	600	700	800
trescientos	cuatrocientos	quinientos	seiscientos	setecientos	ochocientos

900	1000	365
novecientos	mil	trescientos sesenta y cinco

1964

mil novecientos sesenta y cuatro

EJERCICIO I

Circle correct words. Score 10 points for each correct answer.

Example: Susana lee (un libro en español) . . . . . un libro en chino.

1. Pedro escribe el alfabeto . . . . . los números.

2. Susana lee . . . . . escribe un libro de geografía.

3. Las niñas bailan . . . . . hablan.

4. La mamá pregunta . . . . . responde.

5. Los alumnos escriben . . . . . leen los ejercicios.

81   SCORE_____POINTS.

EJERCICIO II

Answer in complete sentences. Score 10 points for each correct answer.

Example: ¿Qué hace Carlos? <u>Él juega al tenis.</u>

1. ¿Qué hace Susana?_____

2. ¿Qué escribe Pedro?_____

¿ Dónde está el libro, Pedro ?

3. ¿Qué pregunta a Pedro su mamá?_____

4. ¿Qué hacen los alumnos?_____

5. ¿Qué hago yo?_____

SCORE_____POINTS.

EJERCICIO III

Fill in missing words. Score 10 points for each correct answer.

Example: Pablo escribe el alfabeto.

1. Pedro ___ ___ ___ un libro.

2. Sara ___ ___ ___ ___ ___ ___ letras.

3. La profesora ___ ___ ___ ___ ___ ___ ___: "¿Cómo están Uds.?"

4. Los alumnos ___ ___ ___ ___ ___ ___:
   "Muy bien, gracias."

Adiós, niños.

5. El profesor ___ ___ ___ ___ bien la lengua española.

SCORE___POINTS.

Lección Catorce

1. Vamos a contar. Yo cuento: uno, dos, tres. . . . . ¿Qué hago yo?

Ud. cuenta, señorita.

2. Juanita, cuente de seis a diez.

Seis, siete, ocho, nueve y diez.

3. ¿Desde qué número cuenta ella?

Desde seis.

4. ¿Hasta qué número cuenta Juanita?

Hasta diez, señorita.

5. En la mano derecha tengo un lápiz.
¿Tengo algo en la mano derecha?

Si, señorita; tiene un lápiz.

6. ¿Tengo algo en la mano izquierda?

No, señorita; no tiene nada.

7. María, ¿cuántos libros hay en la biblioteca?

Yo no sé, señorita; hay muchos.

8. ¿Quién sabe cuántas personas hay en Nueva York?

Yo sé, señorita; hay ocho millones de personas en Nueva York.

9. Nosotros estamos en la clase desde las nueve de la mañana hasta las tres de la tarde. ¿Cuántas horas estamos en la clase cada día?

Seis horas, señorita.

10. ¿Qué días vamos a la escuela?

Lunes, martes, miércoles, jueves y viernes.

lunes	martes	miércoles	jueves	viernes
2 de MAYO	3 de MAYO	4 de MAYO	5 de MAYO	6 de MAYO

11. ¡Muy bien! Estamos en la escuela de lunes a viernes. ¿Qué hacen Uds. los sábados y domingos?

sábado
7
de
MAYO

Los sábados jugamos con los amigos.

12. Los domingos vamos a la iglesia.

domingo
8
de
MAYO

13.

¿Hay alguien en la clase ahora?

Sí; hay veinte alumnos.

14. ¿Hay alguien en la escuela los domingos?

No, señorita, los domingos no hay nadie.

15. Roberto, ¿cuántos centavos hay en un peso?

Hay cien, señorita.

16. ¡Muy bien! Ahora son las tres. ¡Adiós, niños! ¡Hasta mañana!

¡Adiós, señorita! ¡Hasta la vista!

86

EJERCICIO I

Circle correct words. Score 10 points for each correct answer.

Example: Hay <u>ocho</u> . . . . .(cien)centavos en un peso.

1. Por la noche los alumnos están en <u>la escuela</u> . . . . . <u>la casa.</u>

2. Hay muchos libros en <u>el garaje</u> . . . . . <u>la biblioteca.</u>

3. En Nueva York hay <u>ocho mil</u> . . . . . <u>ocho millones</u> de personas.

lunes	martes	miércoles	jueves	viernes
2	3	4	5	6
de	de	de	de	de
MAYO	MAYO	MAYO	MAYO	MAYO

4. Los alumnos van a la escuela de lunes a <u>viernes</u> . . . . . <u>domingo.</u>

5. Sobre la mesa <u>hay algo</u> . . . . . <u>no hay nada.</u>

SCORE_____POINTS.

EJERCICIO II

Write answers to questions. Score 10 points for each correct answer.

Example: ¿Cuántas horas estamos en la clase?   <u>Seis horas.</u>

1. ¿Cuántas personas hay en este automóvil?_____

lunes	martes	miércoles	jueves	viernes	sábado	domingo
6	7	8	9	10	11	12
de	de	de	de	de	de	de
JULIO	JULIO	JULIO	JULIO	JULIO	JULIO	JULIO

2 ¿Cuántos días hay en una semana?_____

3. ¿Cuántos centavos hay en un peso?_____

4. ¿Cuántos muchachos juegan?_____

5. ¿Cuántas personas van a la iglesia?_____

SCORE_____POINTS.

EJERCICIO III

Read the following in Spanish and fill in the correct answers.

Example: $2 + 3 = ?$ Dos más

tres son <u>cinco.</u>

1. $2 + 4 = ?$ Dos más

cuatro son   _____

2. $2 \times 2 = ?$ Dos por

dos son   _____

3. $8 - 3 = ?$ Ocho menos

tres son   _____

4. $20 + 10 = ?$ Veinte más

diez son   _____

5. $5 \times 5 = ?$ Cinco por

cinco son   _____

6. $50 - 25 = ?$ Cincuenta menos

veinticinco son   _____

SCORE_____POINTS.

Lección Quince

La familia está en el comedor.

En la mesa hay platos, vasos, tazas, cuchillos, tenedores
y cucharas. Hay pan y mantequilla;
también sal y pimienta.

La comida está muy buena. Los muchachos toman la sopa con
cucharas grandes.

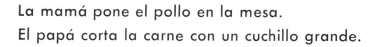

La mamá pone el pollo en la mesa.
El papá corta la carne con un cuchillo grande.

Él sirve pollo a su esposa, a Susana, a Sara y a Pedro.
"Muchas gracias, papá," dicen los muchachos.

"¿Qué legumbres tenemos?" pregunta el padre a la madre.
"Hay papas y guisantes," responde ella.

La madre pone dos platos de legumbres en la mesa y los
muchachos toman una ración de cada legumbre.
"¡Qué buena está la comida!," dice Sara. "Me gustan mucho los guisantes."

"Me gustan todas las legumbres," dice Pedro.

"Me gustan las habichuelas, los guisantes, los espárragos, la col, la coliflor, las espinacas, las zanahorias, los tomates, la lechuga, las cebollas.

Todas las legumbres son buenas."

"Me gusta la carne," dice Pedro. "Me gustan las chuletas de cordero, el pavo, el jamón, el filete de res, y el asado; pero no me gusta el pescado."

"Me gusta el arroz, y también el pan con mantequilla y miel,"
dice Sara.

El padre dice: "Hagan el favor de comer en silencio."
La mamá lleva un plato de frutas a la mesa.

A los muchachos les gusta mucho la fruta.   Hay manzanas, peras,
uvas, fresas, melocotones, plátanos, naranjas, cerezas y una piña.
La madre, el padre y los muchachos comen frutas.

El padre toma café con crema y azúcar.

La madre toma té con limón.

Los muchachos no toman café, toman leche.

"¡Qué comida tan buena!" dicen los muchachos
a sus padres.

El padre les responde. "Sí, niños; su mamá es una
buena cocinera."

EJERCICIO I

Circle correct words. Score 10 points for each correct answer.

Example: Los guisantes son <u>frutas</u> . . . . (legumbres.)

1. Las zanahorias son <u>legumbres</u> . . . . . <u>frutas.</u>

2. El padre corta la carne con <u>un vaso</u> . . . . . <u>un cuchillo.</u>

3. Las legumbres están en <u>dos platos</u> . . . . . <u>dos tazas.</u>

4. La piña es <u>una fruta</u> . . . . . <u>una carne.</u>

5. El jamón es <u>una legumbre</u> . . . . . <u>una carne.</u>

95

SCORE_____POINTS.

EJERCICIO II

Fill in missing words in indicated spaces. Score 10 points for each correct answer.

Example: ¿Les gusta el pollo a los muchachos? Sí; les _gusta_.

1. A mí me gusta la leche. No __ __ gusta el té.

2. A José le gustan las frutas. A él no le _ _ _ _ _ _ _ las legumbres.

3. ¿Les gustan a los niños las frutas? Sí; _ _ _ _ _ _ _ _ _.

4. ¿A los muchachos les gusta el pan?

   Sí; _ _ _ _ _ _ _ _.

5. ¿Les gusta la televisión a las muchachas?

   Sí; _ _ _ _ _ _ _ _.

SCORE____POINTS.

EJERCICIO III

Fill in les dicen, les dice, le dicen, etc., where indicated. Score 10 points for each correct answer.

Example: La muchacha dice a su madre: "¡Qué buena comida!"

Ella le dice: "¡Qué buena comida!"

1. El padre dice a los niños: "¡Hagan el favor de comer!"

   Él _ _ _ _ _ _ _: "¡Hagan el favor de comer!"

2. Los niños dicen al padre: "¡Muy bien, papá!" Ellos _ _ _ _ _ _ _:
   "¡Muy bien, papá!"

3. ¿Qué dice el profesor a los niños? Él _ _ _ _ _ _ _: "¡Adiós!"

4. ¿Qué responden los niños al profesor?

   Ellos _ _ _ _ _ _ _ _ _ _: "¡Adiós, profesor!"

SCORE_____POINTS.

Lección Diez y Seis

Es el día del cumpleaños de Sara. Ella invita a sus amigos a una fiesta.

1. María y Eduardo entran en la casa.

2. Eduardo le da un regalo a Sara.

3. María le da un regalo también.

4.

5. Susana toca el piano y José toca
   la guitarra. A los otros invitados
   les gusta mucho la música.

   ¡Qué buena música!
   Tocan muy bien.

   ¡Cómo no!
   ¡Vamos a cantar!

   Susana, ¿sabes la
   canción "R con R"?

6. Los niños cantan:
   "R con R, cigarro
   R con R, barril.
   Rápido corren los carros
   cargados de azúcar del ferrocarril."

7. La madre de Sara habla a los
   niños. Les dice:
   Vamos a jugar a la gallina ciega.

   ¡Bueno! Jorge es
   la gallina ciega.

   Aquí hay un pañuelo
   para tapar los ojos.

8. La señora tapa los ojos de Jorge
   con un pañuelo.

   ¿Ves algo, Jorge?

   No; no veo nada.

9. Jorge corre por todas partes pero no toca a nadie.

10. Finalmente, Jorge toca a alguien. ¿Quién es?

11. Ahora los niños van al comedor donde hay muchas cosas ricas. Sara corta la torta de cumpleaños y todos comen torta y helado. Los invitados cantan "Las Mañanitas," que es una canción de cumpleaños.

12. A las 5 en punto los invitados dicen adiós y van a sus casas.

EJERCICIO I

Circle correct words. Score 10 points for each correct answer.

Example: Eduardo tiene (un regalo) . . . . . un piano en las manos.

1. Los muchachos cantan . . . . . bailan.

2. "El regalo es precioso . . . . . frío," dice Sara.

3. Sara corta una torta de cumpleaños . . . . . una manzana.

4. José toca el piano . . . . . la guitarra.

5. La mamá tapa los ojos . . . . . la boca a Pedro con un pañuelo.

SCORE_____POINTS.

EJERCICIO II

Answer questions. Score 10 points for each correct answer.

Example: ¿Qué hace Sara? <u>Ella corta la torta</u>

<u>de cumpleaños.</u>

1. ¿Qué hace Sara?_____

2. ¿Qué tiene Eduardo en la mano?_____

3. ¿Qué canción cantan los muchachos?_____

4. ¿Qué cosa hay en la mesa? _____

5. ¿A qué hora dicen adiós los niños?_____

SCORE_____POINTS.

EJERCICIO III

Fill in missing words to tell the story of the fiesta.
Score 10 points for each correct answer.

1. Sara _ _ _ _ _ a sus amigos a una _ _ _ _ _ _.

2. María y Eduardo _ _ _ _ _ en la casa.

3. Eduardo _ _ _ _ un regalo a Sara. Es un regalo

   _ _ _ _ _ _ _ _.

4. Susana _ _ _ _ el piano y José _ _ _ _ la guitarra.

5. Los invitados _ _ _ _ _ _ la canción "R con R."

6. La madre de Sara _ _ _ _ _: "Vamos a _ _ _ _ _ a la gallina
   ciega."

7. La señora _ _ _ _ _ los ojos de Jorge _ _ _ un pañuelo.

8. Jorge _ _ _ _ _ por todas partes pero no _ _ _ _ a nadie.

9. Finalmente él _ _ _ _ a alguien.

10. Después del juego los muchachos _ _ _ al comedor.

11. Sara _ _ _ _ _ la torta de cumpleaños. Todos _ _ _ _ _ torta
    y helados.

12. Los invitados _ _ _ _ _ _ "Las Mañanitas."

13. A las 5 _ _ _ _ _ _ los invitados _ _ _ _ _ adiós y
    _ _ _ a sus casas.

SCORE_____POINTS.

EXPLANATORY NOTES AND KEY TO EXERCISES

Lesson 1

1. For English equivalent of all vocabulary and approximate pronunciation, see dictionary section in the back pages of this book.
2. *Un* means "one" and also "a." The number "one" is written *uno*, but is shortened to *un* before a noun. It is, therefore, both a numeral and an indefinite article. All Spanish nouns are masculine or feminine, and *un* is the masculine indefinite article, while *una* is the feminine.
3. Remember that the Spanish "r" is rolled more than the English "r," especially when it is doubled, as in *perro*.
4. The phonetics given in the dictionary section render the Spanish "c" as pronounced "th" before "i" and "e." In all Latin-American countries, as well as in southern Spain, this often has an "s" sound. Although both forms are accepted, the "th" sound is more correct when the words are said very slowly.
5. *Es* means "it is." It also means "he is" or "she is," depending on the context.
6. The word "not" is expressed by *no*. *No* also means simply "no," the same as in English. The "o" is pronounced with a shorter vowel sound.

EXERCISE CONTENT

Exercise   I: Drills the student on answering questions with *es*.
Exercise II: Drills on choosing the indicated noun with gender attached.
Exercise III: Drills on identifying the noun and adding the appropriate article indicating gender.
Key to exercise I: 1. una pelota. 2. una casa. 3. un perro. 4. una bicicleta. 5. un tren.
Key to exercise II: 1. Es un perro. 2. Es una casa. 3. Es un libro. 4. Es un gato. 5. Sí; es una bicicleta.
Key to exercise III: 1. Es un gato. 2. Es una casa. 3. Es una bicicleta. 4. Es un perro. 5. Es un libro.

Lesson 2

1. Before each lesson, the teacher should review each preceding lesson, as well as practice greetings, counting, identification of objects, etc.
2. With the introduction of many new masculine and feminine nouns, it should be pointed out that the gender has little to do with the object itself, except in the case of people, but is simply a peculiarity of Spanish.

3. The Spanish *j* is always pronounced like a strong English "h." The *ñ* is pronounced like the "ny" in "canyon."
4. Spanish has one written accent, the *'*. This is used to show that the stress does not follow the usual pattern. Usually, the stress is on the next to the last syllable when the word ends in a vowel or *n* or *s*, and on the last syllable when the word ends in a consonant other than *n* or *s*. Examples: *España (eh-SPAH-n'yah)*; *español (eh-spah-N'YOHL)*. The accent is written on *café* because it ends in a vowel and would normally be stressed on the next-to-last syllable. The written accent is also used on some words of one syllable to distinguish from each other two words with different meanings that are spelled the same.

EXERCISE CONTENT

Exercise   I: Identification of nouns and association of masculine and feminine indirect articles with them.
Exercise II: Drill in answering questions with *es, sí* and *no, no es*.
Exercise III: Filling in required vocabulary with appropriate indirect article.
Key to exercise I: 1. un guante. 2. un pantalón. 3. un sombrero. 4. una chaqueta. 5. un cinturón.
Key to exercise II: Es un sombrero. 2. Es un zapato. 3. No; no es un sombrero. Es un cinturón. 4. No; no es una camisa. Es un pantalón. 5. No; no es un pantalón. Es un sombrero.
Key to exercise III: 1. un sombrero. 2. un vestido. 3. un zapato. 4. un cinturón. 5. una camisa.

Lesson 3

1. The definite article "the" — *el* for masculine and *la* for feminine — is introduced in this lesson.
2. When practicing this lesson, special emphasis should be given to the agreement of the adjective with the masculine or feminine gender of the noun. Normally, the masculine form of the adjective ends in *o*, and the feminine in *a*. However, when an adjective terminates in *e* in its masculine form, masculine and feminine are identical. Example: *verde* (m.), *verde* (f.).
3. Note that the question form, *de qué color,* "what color," is literally "of what color."

EXERCISE CONTENT

Exercise   I: Colors agreeing with gender of noun.
Exercise II: Composition of original answers to questions concerning color adjectives.

Exercise III: Filling in nouns and adjectives of color according to letter spaces.
Key to exercise I: 1. el automóvil verde. 2. el árbol verde. 3. la bicicleta negra.
4. el perro gris. 5. el globo rojo.
Key to exercise II: 1. El autobús es verde. 2. El teléfono es negro. 3. El árbol
es verde. 4. El gato es blanco. 5. El perro es gris.
Key to exercise III: 1. El árbol es verde. 2. La rosa es roja. 3. El autobús es verde.
4. El teléfono es negro. 5. El automóvil es rojo.

Lesson 4

1. Teacher should use objects previously discussed in the classroom, as well as students, to illustrate *grande* and *pequeño* and the comparative forms of adjectives.
2. Masculine and feminine forms of adjectives, other than those of color, are presented not only as vocabulary, but also for additional practice in associating the gender of adjectives with that of nouns.
3. *De* — "of" — is introduced here with proper names as a preposition denoting the genitive. Additional practice should be given, using the names of class members' possessions with adjectives in this lesson, as well as adjectives of color. Spanish versions of students' names should be used when possible.
4. The comparative form of adjectives is presented before the superlative. The comparative is always formed by *más . . . que* or *menos . . . que*, with the adjective between *más* (or *menos*) and *que*. The comparatives of *grande*, *pequeño*, *largo*, and *corto* should be practiced with other nouns known to the students.
5. The superlative of the adjective is formed simply by putting *el* or *la* before *más* (or *menos*). Example: *grande — más grande — el más grande*. Comparative and superlative forms should be practiced with three pencils of different lengths and colors and three books of different sizes and colors.

EXERCISE CONTENT

Exercise   I: Choice of correct predicative adjectives.
Exercise   II: Answering simple questions to test students' comprehension of adjectives.
Exercise III: Filling in blanks with words containing the number of letters indicated by the underscoring, for practice in comparative forms of adjectives.
Key to exercise I. 1. grande. 2. pequeño. 3. largo. 4. corta. 5. larga.

106

Key to exercise II. 1. Sí; el hombre es grande. 2. El ratón es pequeño. 3. No; el bebé no es grande. El bebé es pequeño. 4. No; el pantalón de Pablo no es corto. El pantalón de Pablo es largo. 5. La falda de Rosita es corta.

Key to exercise III: 1. grande. 2. grande. 3. más (pequeña) que. 4. pequeño. 5. más (corta) que.

Lesson 5

1. *Este* and *esta* both mean "this." *Este* is used when the noun is masculine and *esta* when it is feminine. The plural forms, meaning "these," are *estos* (masculine) and *estas* (feminine).
2. Adjectives of nationality are written with small letters.
3. "He" and "she" are translated by *él* and *ella.* "They," if referring to a group of boys or men, is *ellos. Ellas* refers to a group of girls or women. If "they" refers to a mixed group of males and females, the masculine *ellos* is used, even if there is only one male in the group.
4. Note that the plural of nouns is indicated by "s" and adjectives must also have a final "s" when they refer to plural nouns.
5. Positive and negative forms of the verb "to be" — *ser* — in singular and plural should be well drilled:

(yo) soy	*(yo) no soy*
(él, ella, Ud.) es	*(él, ella, Ud.) no es*
(nosotros) somos	*(nosotros) no somos*
(ellos, ellas, Uds.) son	*(ellos, Uds.) no son*

6. It is quite correct to use the verbs without the subject pronouns as the meaning is usually clear from the context: *(yo) no soy, (Uds.) son, etc.* Note that the word for "you" — *usted* — is usually written in its abbreviated form *Ud.* The plural *ustedes,* is written *Uds.*
7. Although the word *americano* and its feminine form *americana* is readily understood to mean "American," it is better for the student to practice saying *norteamericano (a),* "North American," as this form is more acceptable to Latin-Americans.

EXERCISE CONTENT

Exercise   I: Practice in selection of adjectives of nationality and use of subject pronouns with adjectives.

Exercise   II: Drill on adjectives of nationality with association of masculine, feminine, and plural forms.

Exercise III: Answering questions testing present tense conjugation of *ser.*

Key to exercise I: 1. español. 2. alemán. 3. china. 4. ruso. 5. norteamericanos.
Key to exercise II: 1. No; ella no es alemana. Ella es china. 2. No; él no es francés.
Él es alemán. 3. No; ella no es francesa. Ella es rusa. 4. Si; ellos son franceses.
5. Sí; Uds. son norteamericanos.
Key to exercise III: 1. Juan es un alumno. 2. Sí; yo soy un alumno. 3. Uds. son
norteamericanos. 4. Ellos son pequeños. 5. No; ellas no son grandes. Son pequeñas.

Lesson 6

1. When *este* and *esta* are used *without* the noun (as pronouns) they have a
   written accent, as in *Éste es rojo.* — "This (one) is red." But when used in
   combination with nouns (as adjectives), they have no written accent —
   Este lapiz es rojo. — "This pencil is red."
2. Note the following forms of the possessive adjectives:

	masculine	feminine	plural
my	*mi*	*mi*	*mis*
your, his, her, their	*su*	*su*	*sus*
our	*nuestro*	*nuestra*	*nuestros (or) nuestras*

   Note that the Spanish possessive adjectives can sometimes be somewhat
   confusing, as *su* can mean your, his, her, its, their. For this reason, *de Ud.*,
   de él, etc., are sometimes added to avoid confusion.
3. The possessive "whose" as in the sentence "Whose book is this?" is always
   expressed by *de quién*. The simple interrogative *quién* meaning "Who?"
   should also be reviewed and drilled to establish the difference between these
   two interrogatives.
4. When the teacher practices *este* and *esta* with the possessives, he should stand
   close to the child, so that it will be natural to refer to the object at hand
   as "this," as the difference between "this" and "that" will not come until the
   next lesson.
5. *Esto*, as seen in the first lesson, is the neuter form, and is used for an unidentified
   object when the object is not specified by gender: "What is this?" — *¿Qué
   es esto?*

EXERCISE CONTENT

Exercise   I: Practice in the use of correct forms of *ser*.
Exercise   II: Answering simple questions with proper forms of possessive
               adjectives.
Exercise III: Practice in negative construction, using possessive and demonstrative
               adjectives.

Key to exercise I: 1. su. 2. sus. 3. su. 4. su. 5. su.

Key to exercise II: Sí; es su bicicleta. 2. No; no es su sombrero. 3. Sí; es su bicicleta. 4. Sí; es su casa. 5. Es el globo de Rosa.

Key to exercise III: 1. Éste no es mi perro. 2. Éstos no son nuestros libros. 3. Éste no es su zapato de Ud. 4. Ésta no es mi bicicleta. 5. Éstos no son sus globos.

Lesson 7

1. The teacher should present "this" and "that," (*éste* and *ése* in the masculine form and *ésta* and *ésa* in the feminine), with "here" and "there," *aquí* and *ahí*, by placing pencils, pens, and books of different colors in various positions.

2. *Ser* and *estar* are both introduced in this lesson through juxtaposition so that students can see that *ser* is used to describe an object, while *estar* is used principally to indicate its position. Compare the following principal forms of *ser* and *estar*:

	ser	estar
yo	*soy*	*estoy*
Ud., él, ella	*es*	*está*
nosotros, nosotras	*somos*	*estamos*
Uds., ellos, ellas	*son*	*están*

Remember that although *ellos* is the masculine form and *ellas* the feminine, boys and girls together are alluded to by the masculine form. The choice of *nosotros* or *nosotras* follows the same pattern.

3. Note that *a* and *el* combine to form *al*.

4. As an appreciation of the Latin-American viewpoint, the teacher should point out the use of the phrase *Las Américas* in Frame 13 which indicates North and South America, and should show on a map the Spanish geographical nomenclature for the New World — *Norte América, La América Central, El Mar Caribe, Sud América*.

5. Note that *sentado* changes according to gender and number of subject, but *de pie* is always the same.

6. The teacher should practice forms of greeting and leave-taking, as well as review them in all future lessons.

EXERCISE CONTENT

Exercise   I: Choice of answers to test comprehension of prepositions.

Exercise II: Filling in answers, using correct prepositions and associated nouns.

Exercise III: Answering questions with simple forms of *estar*.

Key to exercise I: 1. en el autobús. 2. en la clase. 3. arriba de la pizarra. 4. en la caja. 5. sentada.

Key to exercise II: 1. No; está delante de la pizarra. 2. Sí; ella está de pie. 3. Ellos están en la clase. 4. Está encima de la mesa. 5. Está debajo de la mesa.

Key to exercise III: 1. Sí; Ud. está en la clase. 2. Sí, está al lado de la pizarra. 3. No; no está en un tren. 4. Ellos están en el automóvil. 5. No; estamos en la clase.

Lesson 8

1. The present conjugation of the verb *tener* — "to have."

   yo tengo
   Ud., él, ella tiene
   nosotros (-as) tenemos
   Uds., ellos, ellas tienen

   Through practice, students should be made aware that the pronouns are not necessarily used with the verbs. The form of the verb itself indicates who is speaking.

2. With the introduction of *tener*, many additional questions can be asked in conjunction with vocabulary already familiar to the students, such as articles of clothing, toys, etc. Practice should include the negative.

EXERCISE CONTENT

Exercise I: Review of parts of the body through selection of correct answers.
Exercise II: Formation of complete answers to questions using forms of *tener*.
Exercise III: Exercise in comprehension.

Key to exercise I: 1. corto. 2. pelo rubio. 3. una cabeza. 4. diez dedos. 5. ojos negros.

Key to exercise II: 1. Su pelo es rubio. 2. No; ella no tiene el pelo rojo. Ella tiene el pelo negro. 3. Él tiene dos manos. 4. No; ellas no tienen el pelo corto. Ellas tienen el pelo largo. 5. Sí; Ud. tiene el pelo corto.

Key to exercise III: 1. Sí; Ud. tiene los ojos negros. 2. No; tienen pelo corto. 3. Tiene cinco dedos en cada mano. 4. Sí; tienen pelo corto. 5. Su pelo es negro.

Lesson 9

1. Note that *qué* means the exclamatory "how." (See Frames 3 and 4.)
   Example: *¡Qué bonito!* — "How pretty!"
2. *Como* means "like." When it has an accent, it means "how."

3. Note that the phrase "years old" is rendered by *tener*. Example: *Él tiene diez años.* — "He is ten years old." Students should be drilled in their own ages and the ages of other children in their families.

4. The Latin-American custom of referring to older people by their first names, preceded by *don* or *doña,* should be dealt with as an interesting aspect of Latin-American life. A married woman is frequently addressed with *de* before her husband's name: *la Señora de Martin.*

5. *Hay* is one of the most frequently used words in Spanish. It means "there is" or "there are" and, if asked in a questioning tone, "is there?" or "are there?"

6. This lesson is a good point to indicate to the children that just as interrogative sentences start with an inverted question mark, exclamations start with inverted exclamation points.

7. The verb *tomar* — "to take" — is conjugated as follows:

> *yo tomo*
> *Ud., él, ella toma*
> *nosotros (-as) tomamos*
> *ellos, ellas toman*

Verbs with infinitives that end in *-ar* follow the same conjugation pattern and are called first conjugation verbs.

8. *Unos* or *unas* (Frame 17) is the plural of *uno* or *una* and means "some" or "several."

9. As noted in Lesson 7, *estar,* meaning "to be," is used mainly to indicate position. It is also used when something may change. When the children say, *"El chocolate está bueno,"* they mean it is very good right now. Later, it might be cold and not so good. *Está* is often used to describe food.

EXERCISE CONTENT

Exercise   I: Choice of answer to establish vocabulary of family relationships.

Exercise   II: Composition of sentences using family relationships and possessive pronouns.

Exercise III: Present tense drill of first conjugation verb *tomar* through sentence formation.

Key to exercise I: 1. la hermana. 2. la madre. 3. el padre. 4. el hermano. 5. el hijo.

Key to exercise II: 1. Es la Señora González. 2. Sí; es su madre. 3. Es el Señor Martín. 4. Sí; es su abuelo. 5. Sí; él es su padre.

Key to exercise III: 1. Ellos toman manzanas. 2. Toma un sombrero. 3. No; no toma una lección de violín. Toma una lección de piano. 4. Sí; tomamos una lección de español. 5. Sí; Ud. toma una manzana.

Lesson 10

1. Five important new verbs are introduced here: *abrir, cerrar, poner, hacer, entrar.*

    Examples of their forms, with respective subject pronouns are as follows:

	abrir	cerrar	poner	hacer	entrar
(yo)	abro	cierro	pongo	hago	entro
(Ud., él, ella)	abre	cierra	pone	hace	entra
(nosotros, nosotras)	abrimos	cerramos	ponemos	hacemos	entramos
(Uds., ellos, ellas)	abren	cierran	ponen	hacen	entran

    Cerrar and *entrar* have the same endings as *tomar*, which was introduced in the preceding lesson, and are first conjugation verbs. Verbs with infinitives that end in *er*, such as *poner* and *hacer*, are called second conjugation verbs. Those ending in *ir* belong to the third conjugation. The endings of the second and third conjugation verbs are identical, except the *nosotros* form.
2. Note that *tomar*, besides meaning "to take," is generally used for "to drink."
3. When *de* is used before the article *el*, the combination contracts to *del*. Example: *El sombrero del profesor* — "The teacher's hat" or "The hat of the teacher."
4. In the same way, when *a* is used with *el* the combination becomes *al*. Example: *al lado del piano* — "beside the piano."
5. Nouns ending in *o* are always masculine, except *la mano*. Although those ending in *a* are generally feminine, there are some exceptions, such as *el programa, el día, el mapa*, etc.

EXERCISE CONTENT

Exercise   I: Selection of correct words, using vocabulary related to household.
Exercise II: Formation of answers with correct form of verb indicated in question.
Exercise III: Composition of answers to questions formed with *hacer*.
Key to exercise I: 1. dos árboles. 2. la casa. 3. la sala. 4. el sofá. 5. de la televisión.
Key to exercise II: 1. Sí; pone su sombrero en la silla. 2. Toma una manzana. 3. Abre la puerta. 4. Cierran la ventana. 5. Sí; entran en la escuela.
Key to exercise III: 1. Abre la puerta. 2. Entran en la clase. 3. Cierran la ventana. 4. Pone el abrigo en la silla. 5. Toma una manzana.

Lesson 11

1. New verbs in this lesson:

	ir	venir	salir	nadar	mirar	decir
yo	voy	vengo	salgo	nado	miro	digo

Ud., él, ella	va	viene	sale	nada	mira	dice
nosotros, nosotras	vamos	venimos	salimos	nadamos	miramos	decimos
Uds., ellos, ellas	van	vienen	salen	nadan	miran	dicen

Pointing out that *nadar* and *mirar* are conjugated exactly like *entrar* in the previous lesson and the similarities between *venir, salir,* and *decir* will help establish the concept of verb groups. Besides practicing these verbs with the picture content, students should actively participate in classroom practice in exercises describing their own actions and actions of the other students.

2. *A* is used in this lesson in its meanings of "to" (to a place, to a person) and "on" (on foot).

3. When students can tell time, they should be asked what time they come to school, what time they go home, etc.

4. Note the use of *tener* in *tener frío* and *tener calor* for "to be cold" and "to be hot" for persons and the use of *estar* for objects, as in *El agua está fría* — "The water is cold."

5. *Decir* — "to say" or "to tell" — is introduced here in its simplest usage, with *a* and the noun. Example: *Dicen adiós a Jorge* — "They say good-bye to George." The use of indirect object pronouns with *decir* will appear in Lesson 15.

EXERCISE CONTENT

Exercise I: Choice of correct words to test new vocabulary.

Exercise II: Answering questions using new vocabulary.

Exercise III: Answering simple questions using correct forms of new verbs.

Key to exercise I: 1. cerca 2. feo. 3. el agua. 4. de la piscina. 5. el jardín zoológico.

Key to exercise II: 1. Sí; el cine está cerca de la escuela. 2. Los muchachos van al jardín zoológico. 3. Ven leones, tigres y elefantes. 4. No; Sara no va a la playa. Va al cine. 5. Sí; Jaime tiene frío.

Key to exercise III: 1. Sí; él va al cine. 2. Sí; ella toma el autobús. 3. Son serpientes y peces. 4. Sí; él nada en la piscina. 5. Sí; él sale de la piscina.

Lesson 12

1. In Spanish, one does not "play tennis"; one "plays at the tennis" — *jugar al tenis.*   Prepositions must always be used in references to game-playing.

2. New verbs in this lesson are *jugar, bailar, saltar, correr.* As three of these verbs are regular first conjugation verbs, this is a good time to show students that all,

except *correr*, have the same endings. In addition, the teacher should make sure that verbs that undergo certain changes in their spelling when they are conjugated, such as *jugar*, are thoroughly practiced through questions and answers so that students absorb these minor changes through usage.

	jugar	bailar	saltar	correr
(yo)	juego	bailo	salto	corro
(Ud., él, ella)	juega	baila	salta	corre
(nosotros, nosotras)	jugamos	bailamos	saltamos	corremos
(Uds., ellos, ellas)	juegan	bailan	saltan	corren

3. The use of *haga* for one person and *hagan* for several persons, plus *el favor de* followed by the infinitive, is a useful and polite way of giving commands. Example: *Hagan el favor de abrir el libro.* The teacher should practice this form of imperative construction with appropriate verbs studied up to this point and also have the students take turns at "being the teacher" whereby selected students give commands to others and then ask them to describe their actions by asking "*¿Qué hace Ud.?*".

4. Many children's names are included so that students can learn their own names, as well as those of their classmates, in Spanish. It is interesting that "Linda," a popular American name, means "pretty" in Spanish.

EXERCISE CONTENT

Exercise   I: Selection of correct answers, using children's games vocabulary.

Exercise II: Comprehension questions with verbs presented in inverted order.

Exercise III: Practice on use of new verbs through questions requiring use of correct verb form.

Key to exercise I: 1. salta la cuerda. 2. un trompo. 3. a las bolitas. 4. al fútbol. 5. juegan al tenis.

Key to exercise II: 1. Están en el parque. 2. No; ellas no juegan al fútbol. Ellas bailan. 3. No; ella no baila. 4. Juegan al tenis. 5. Sí; juegan con un trompo.

Key to exercise III: 1. Ellas bailan. 2. Juegan al tenis. 3. Salta la cuerda. 4. Ellos saltan. 5. No; ella no juega.

Lesson 13

1. With this lesson, students should take turns reciting sections of the Spanish alphabet. Approximate pronunciations of the Spanish letters are as follows:

A	B	C	CH	D	E	F	G	H	I	J	K
ah	beh	theh	cheh	deh	eh	EH-feh	heh	AH-cheh	ee	HOH-tah	kah

L LL M N Ñ O P Q R S T U
EH-leh EHL-yeh EH-meh EH-neh EHN-yeh oh peh koo EH-reh EH-seh teh oo
V W X Y Z
veh DOH-bleh-oo EH-kees yeh THEH-tah

2. Students should also be asked questions using *antes de*, *después de* and *entre*, as indicated in the lesson, regarding positions of letters in the alphabet.

3. New verbs in this lesson are *hablar* and *preguntar* (first conjugation), *responder* and *leer* (second conjugation), and *escribir* (third conjugation). They are conjugated in the present tense as follows:

	hablar	preguntar	responder	leer	escribir
(yo)	hablo	pregunto	respondo	leo	escribo
(Ud., él, ella)	habla	pregunta	responde	lee	escribe
(nosotros, nosotras)	hablamos	preguntamos	respondemos	leemos	escribimos
(Uds., ellos, ellas)	hablan	preguntan	responden	leen	escriben

Students should be guided to ask questions of other students, i.e., "*María, haga el favor de preguntar a Pedro: '¿Cuál es la primera letra del alfabeto?'*"

4. Because Spanish is referred to by those who speak it as either *español* or *castellano*, students should be familiar with both designations.

5. Although *geografía* is the only other school subject named in this lesson, the teacher might well mention others familiar to the students, depending on the advancement of the class.

6. Ordinal numbers should be practiced with the letters in the alphabet, as well as the lessons in the book. Example: *¿Qué letra es ésta?*

EXERCISE CONTENT

Exercise I: Choice of correct words to test recognition of new vocabulary.
Exercise II: Construction of simple answers to questions, using new verbs.
Exercise III: Filling in of correct verb and person in indicated spaces.
Key to exercise I: 1. los números. 2. lee. 3. hablan. 4. pregunta. 5. leen.
Key to exercise II: 1. Ella lee un libro. 2. Él escribe el alfabeto. 3. Ella pregunta: "¿Dónde está el libro, Pedro?" 4. Ellos escriben el alfabeto. 5. Ud. lee un libro.
Key to exercise III: 1. lee. 2. escribe. 3. pregunta. 4. responden. 5. habla.

Lesson 14

1. Note the present tense of *saber* (second conjugation) and *contar* (first conjugation):

(yo)	*sé*	*cuento*
(Ud., él, ella)	*sabe*	*cuenta*
(nosotros, nosotras)	*sabemos*	*contamos*
(Uds., ellos, ellas)	*saben*	*cuentan*

2. Note the translations of the following words:

algo — "something," "anything"

nada — "nothing," "not anything"

alguien — "somebody," "anybody"

nadie — "nobody," "not anybody"

Drill the use of the double negative with the verb coming between, as in the following:

No hay nada. — "There is nothing."

No tengo nada. — "I have nothing."

No hay nadie. — "There is nobody."

3. When specifying a certain day, the article is used: "On Sunday" — *el domingo.*

4. Students should be drilled in counting and then in stating from what number to what number they count. In addition, they should be drilled in simple arithmetical problems, using the same form:

$$2 + 2 = 4 \quad \textit{Dos y dos son cuatro}$$
$$6 - 2 = 4 \quad \textit{Seis menos dos son cuatro}$$
$$2 \times 4 = 8 \quad \textit{Dos por cuatro son ocho}$$

Questions should be asked like this: *¿Cuántos son dos y dos?*

EXERCISE CONTENT

Exercise I: Choice of correct word to prove comprehension of new vocabulary.

Exercise II: Sentence formation in reply to questions with *¿Cuánto?*

Exercise III: Expressing simple arithmetical problems in Spanish.

Key to exercise I: 1. la casa. 2. la biblioteca. 3. ocho millones. 4. viernes. 5. no hay nada.

Key to exercise II: 1. Hay cuatro personas en este automóvil. 2. Hay siete días en una semana. 3. Hay cien centavos en un peso. 4. Cuatro muchachos juegan. 5. Tres personas van a la iglesia.

Key to exercise III: 1. Dos más cuatro son seis. 2. Dos por dos son cuatro. 3. Ocho menos tres son cinco. 4. Veinte mas diez son treinta. 5. Cinco por cinco son veinticinco. 6. Cincuenta menos veinticinco son veinticinco.

Lesson 15

1. *Le* and *les*, *me*, and *nos* appear here as indirect object pronouns. It is sufficient to show that *le* is a substitute for such longer phrases as *a la madre, al padre, al niño*, etc., and, therefore, means "to her," "to him," "to it," etc. *Les* is the plural of *le*, and means "to them." *Me* is "to me." *Nos* is "to us." *Me, nos, le, les* should be practiced by using commands based on *haga el favor de* with *decir* and *preguntar* in such sentences as, *Haga el favor de decirle su nombre a Clara* — "Tell your name to Clara," and *Haga el favor de preguntarle a Enrique dónde está su libro* — "Ask Henry where his book is." Then the teacher should ask what each one is doing or saying, and make sure that the students concerned, as well as other members of the class, use the appropriate indirect object pronouns in their replies. Remember that *le* and *les* come before the verb in declarative sentences and after the verb in affirmative commands.

2. *Gustar*, meaning "to like," used with the indirect object pronoun needs special practice.

> *me gusta* — "I like"
> *le gusta* — "you like," "he likes," "she likes"
> *nos gusta* — "we like"
> *les gusta* — "they like," "you (plural) like"

If what one likes is plural, *gusta* becomes *gustan*. *Nos gustan los bombones* — "We like candies." For emphasis, an *a* plus pronoun is used with *gustar* —*me gusta* becomes *a mí me gusta; nos gusta, a nosotros nos gusta; le gusta, a Ud. (a él, a ella) le gusta.*

3. Note how the word *cocinera* — "cook" — is derived from *cocina* — "kitchen" — which has already been identified in Lesson 10.

EXERCISE CONTENT

Exercise   I: Choice of answers for identification of new vocabulary.
Exercise II: Practice in the use of *gustar* with indirect object pronouns.
Exercise III: Drill in the use of *me, nos, le, les.*
Key to exercise I: 1. legumbres. 2. cuchillo. 3. dos platos. 4. una fruta. 5. una carne.
Key to exercise II: 1. me. 2. gustan. 3. les gustan. 4. les gusta. 5. les gusta.
Key to exercise III: 1. Él les dice, "¡Hagan el favor de comer!" 2. Ellos le dicen: "¡Muy bien, papá!" 3. Él les dice: "¡Adiós!" 4. Ellos le responden: "¡Adiós, profesor!"

Lesson 16

1. The familiar form *tú* — "you" — is introduced here as a logical place for it to be used, i.e., when children speak to each other. The teacher should explain to students that *tú* means "you" the same as *Usted*. *Tú* is used when a child speaks to another child, when members of a family or very close friends address each other directly, or in speaking to animals. Naturally, when a child speaks to several other children, he uses the form *ustedes (Uds.)* because *Uds.* is the regular plural form in any case.

2. As *tú* has not been introduced up to now, the instructor should go back to the verbs previously studied and show how the *tú* form fits in. The instructor should point out that the *tú* form for other verbs studied up to now is the same as the *Ud.* form with the addition of a final *s* with the exception of *ser*. Here are the forms of *tú* of all verbs presented up to this point:

   tú eres (ser);   *tú vas (ir)*;   *tú corres (correr)*;
   tú abres (abrir);   *tú miras (mirar)*;   *tú tomas (tomar)*;
   tú entras (entrar);   *tú saltas (saltar)*;   *tú haces (hacer)*;
   tú nadas (nadar);   *tú respondes (responder)*; *tú sales (salir)*;
   tú bailas (bailar);   *tú sabes (saber)*;   *tú juegas (jugar)*;
   tú preguntas (preguntar); *tú tienes (tener)*;   *tú hablas (hablar)*;
   tú escribes (escribir); *tú pones (poner)*;   *tú lees (leer)*;
   tú estás (estar);   *tú vienes (venir)*;   *tú cuentas (contar)*.
   tú cierras (cerrar);   *tú dices (decir)*;   *tú cortas (cortar)*
   tú ves (ver);

   As the *tú* form has now been added to the list of pronouns and its use explained, future verbs given in the notes of books in this series will include it.

3. In Frame 4, note the use of *a* before a direct object if the object is a person. *Veo el tren.* — "I see the train." *Veo a la muchacha.* — "I see the girl."

4. *Vamos a* followed by the infinitive can mean either "we are going to (do something)" or "let's (do something)." *Vamos* by itself is a useful way of saying "Let's go." Note use of *Vamos a contar* — "Let's sing" — in Frame 5.

5. The song "*R con R*" is a Spanish tongue-twister and, sung or recited, a very useful practice for rolling the Spanish "*rr.*"

6. *La gallina ciega* is a Spanish children's game equivalent to blind man's buff. The Spanish name — "the blind hen" — is perhaps more aptly descriptive of the actions of the one who is "it" than the English equivalent.

7. Note use of *para* plus the infinitive in Frame 7 to express "in order to" or "for": *para tapar los ojos* — "to cover the eyes" or "for covering the eyes."

8. Note that *tocar* means "to play" or "to touch."

9. It is interesting to point out that the double negative, incorrect in English, is

the required form in Spanish. *Él no dice nada.* — "He doesn't say anything."

10. *"Las Mañanitas"* is the usual birthday song in Latin America. It means "the little early mornings," as it is a custom to awaken a person with this song on his birthday or saint's day.

11. New verbs in this lesson are: *dar, invitar, cantar, tocar, tapar* (first conjugation). Some of them have minor spelling changes in their conjugations.

	dar	*tocar*	*invitar*	*cantar*	*tapar*
(yo)	*doy*	*toco*	*invito*	*canto*	*tapo*
(tú)	*das*	*tocas*	*invitas*	*cantas*	*tapas*
(Ud., él, ella)	*da*	*toca*	*invita*	*canta*	*tapa*
(nosotros, nosotras)	*damos*	*tocamos*	*invitamos*	*cantamos*	*tapamos*
(Uds., ellos, ellas)	*dan*	*tocan*	*invitan*	*cantan*	*tapan*

EXERCISE CONTENT

Exercise I: Selection of correct words based on new vocabulary.

Exercise II: Composition of complete answers to questions.

Exercise III: Filling in of missing words to re-tell story of birthday party.

Key to exercise I: 1. cantan. 2. precioso. 3. una torta de cumpleaños. 4. la guitarra. 5. los ojos.

Key to exercise II: 1. Ella toca la guitarra. 2. Él tiene un regalo. 3. Cantan "R con R." 4. Hay una torta de cumpleaños. 5. A las cinco.

Key to exercise III: 1. invita . . . fiesta. 2. entran. 3. le da . . . precioso. 4. toca . . . toca. 5. cantan. 6. dice . . . jugar. 7. tapa . . . con. 8. corre . . . toca. 9. toca. 10. van. 11. corta . . . comen. 12. cantan. 13. en punto . . . dicen . . . van.

119

DICTIONARY

A

a (ah) to; at
abrigo (ah-BREE-goh) overcoat
abrir (ah-BREER) to open
abuelo, -a (ah-BWEH-loh, -lah)
  grandfather, grandmother
acostado, -a (ah-koh-STAH-doh,
  -dah) lying down
adiós (ah-d'YOHS) good-bye
afuera (ah-FWEH-rah) outside
agua (AH-gwah) water
ahí (ah-EE) there
ahora (ah-OH-rah) now
al (ahl) contraction of a and el,
  "to" and "the"
alemán, -ana (ah-leh-MAHN,
  -MAH -nah) German
alfabeto (ahl-fah-BEH-toh)
  alphabet
algo (AHL-goh) something
alguien (AHL-g'yehn) someone,
  somebody, anyone, anybody
al lado de (ahl LAH-doh deh)
  beside
alto, -a (AHL-toh, -tah) high or
  tall
alumno, -a (ah-LOOM-noh,
  -nah) pupil
amable (ah-MAH-bleh) kind
amarillo, -a (ah-mah-REE-l'yoh,
  -l'yah) yellow
América (ah-MEH-ree-kah)
  America
americano, -a (ah-meh-ree-KAH-
  noh, -nah) American
amigo, -a (ah-MEE-goh, gah)
  friend
Ana (AH-nah) Anna
animal (ah-nee-MAHL) animal
Anita (ah-NEE-tah) Anita
antes (AHN-tehs) before
Antonio (ahn-TOH-n'yoh)
  Anthony
año (AH-n'yoh) year
apetito (ah-peh-TEE-toh)
  appetite

aquí (ah-KEE) here
árbol (AHR-bohl) tree
arco (AHR-koh) goal
arroz (ah-RROTH) rice
Arturo (ahr-TOO-roh) Arthur
asado (ah-SAH-doh) roast
autobús (ow-toh-BOOS) bus
automóvil (ow-toh-MOH-veel)
  automobile
azúcar (ah-THOO-kahr) sugar
azul (ah-THOOL) blue

B

bailar (by-LAHR) to dance
baile (BY-leh) dance
bajo, -a (BAH-hoh) low
bandera (bahn-DEH-rah) flag
baño (BAH-n'yoh) bath
barco (BAHR-koh) boat, vessel,
  ship
barril (bah-RREEL) barrel
bastante (bah-STAHN-teh)
  enough
bebé (beh-BEH) baby
biblioteca (bee-bl'yoh-TEH-kah)
  library
bicicleta (bee-thee-KLEH-tah)
  bicycle
bien (b'yehn) well
bienvenido, -a (b'yehn-veh-NEE-
  doh, -dah) welcome
blanco, -a (BLAHN-koh, -kah)
  white
blusa (BLOO-sah) blouse
boca (BOH-kah) mouth
bolita (boh-LEE-tah) little ball
bombón (bohm-BOHN)
  bonbon, candy
bonito, -a (boh-NEE-toh, -tah)
  pretty
botella (boh-TEH-l'yah) bottle
brazo (BRAH-thoh) arm
bueno, -a (BWEH-noh, -nah)
  good
buenas noches (BWEH-nahs
  NOH-chehs) good night
buenos días (BWEH-nohs DEE-
  ahs) good day, good morning

C

cabeza (kah-BEH-thah) head
cada (KAH-dah) each, every
caer (kah-EHR) to fall
café (kah-FEH) coffee, café
caja (KAH-hah) box
calle (KAH-l'yeh) street
calor (kah-LOHR) heat
camisa (kah-MEE-sah) shirt
canasta (kah-NAH-stah) basket
cancha de tenis (KAHN-chah
  deh TEH-nees) tennis court
canción (kahn-TH'YOHN) song
cantar (kahn-TAHR) to sing
cara (KAH-rah) face
caramelo (kah-rah-MEH-loh)
  caramel
cargado, -a (kahr-GAH-doh,
  -dah) full
Carlos (KAHR-lohs) Charles
carne (KAHR-neh) meat
Carolina (kah-roh-LEE-nah)
  Caroline
carro (KAH-rroh) car
casa (KAH-sah) house
casi (KAH-see) almost
castellano, -a (kah-steh-L'YAH-
  noh, -nah) Castilian
catorce (kah-TOHR-theh)
  fourteen
cebolla (theh-BOH-l'yah) onion
centavo (thehn-TAH-voh) cent
cerca de (THEHR-kah deh)
  near
cereza (theh-REH-thah) cherry
cerrar (theh-RRAHR) to close
ciego, -a (th'YEH-goh, -gah)
  blind
cien (th'YEHN) one hundred
ciento (th'YEHN-toh) one
  hundred
cigarro (thee-GAH-rroh)
  cigarette
cinco (THEEN-koh) five
cincuenta (theen-KWEHN-tah)
  fifty

cine (THEE-neh) movies

cinturón (theen-too-ROHN) belt

clase (KLAH-seh) class

cocina (koh-THEE-nah) kitchen

cocinero, -a (koh-thee-NEH-roh, -rah) cook

coger (koh-HEHR) to catch, to take hold of

col (kohl) cabbage

coliflor (koh-lee-FLOHR) cauliflower

color (koh-LOHR) color

columpio (koh-LOOM-p'yoh) swing

comedor (koh-meh-DOHR) dining room

cometa (koh-MEH-tah) kite

comida (koh-MEE-dah) meal, dinner, food

como (KOH-moh) as, like

¿cómo? (KOH-moh) how? what?

cómo no (KOH-moh NOH) Of course, why not?

con (kohn) with

Consuelo (kohn-SWEH-loh) consolation

contar (kohn-TAHR) to count

corbata (kohr-BAH-tah) tie

cordero (kohr-DEH-roh) lamb

correcto, -a (koh-RREHK -toh -tah) correct

correr (koh-RREHR) to run

cortar (kohr-TAHR) to cut

corto, -a (KOHR-toh, -tah) short

cosa (KOH-sah) thing

crema (KREH-mah) cream

cuaderno (kwah-DEHR-noh) writing book

cuadro (KWAH-droh) picture

cuál (kwahl) which?

cuánto (KWAHN-toh) how much?

cuántos (KWAHN-tohs) how many?

cuarenta (kwah-REHN-tah) forty

cuarto, -a (KWAHR-toh, -tah) fourth

cuarto (KWAHR-toh) room

cuatro (KWAH-troh) four

cuatrocientos, -tas (KWAH-troh-th'YEHN-tohs, -tahs) four hundred

cuchara (koo-CHAH-rah) spoon

cuchillo (koo-CHEE-l'yoh) knife

cuello (KWEH-l'yoh) neck

cuerda (KWEHR-dah) cord, rope

cuerpo (KWEHR-poh) body

culebra (koo-LEH-brah) snake

cumpleaños (koom-pleh-AH-n'yohs) birthday

CH

chaqueta (chah-KEH-tah) jacket

chino, -a (CHEE-noh, -nah) Chinese

chocolate (choh-koh-LAH-teh) chocolate

chuleta (choo-LEH-tah) chop, cutlet

D

dar (dahr) to give

de (deh) of, from

debajo de (deh-BAH-hoh deh) under, beneath

décimo, -a (DEH-thee-moh, -mah) tenth

decir (deh-THEER) to say, to tell

dedo (DEH-doh) finger, toe

delante de (deh-LAHN-teh deh) in front of

delicioso, -a (deh-lee-thee-OO-soh, -sah) delicious

de nada (deh NAH-dah) you are welcome

derecho, -a (deh-REH-choh, -chah) right

desde (DEHS-deh) from, since

después de (dehs-PWEHS deh) after, next to

detrás de (deh-TRAHS deh) behind, in back of

día (DEE-ah) day

diccionario (deek-th'yoh-NAH-r'yoh) dictionary

diente (d'YEHN-teh) tooth

diez (d'yehth) ten

diez y nueve (d'yehth ee n'WEH-veh) nineteen

diez y ocho (d'yheth ee OH-choh) eighteen

diez y seis (d'yheth ee sehs) sixteen

diez y siete (d'yheth ee s'YEH-teh) seventeen

diferente (dee-feh-REHN-teh) different

divertido, -a (dee-vehr-TEE-doh, -dah) amusing

doce (DOH-theh) twelve

domingo (doh-MEEN-goh) Sunday

Don (dohn) title of respect before masculine first names; e.g., Don Roberto

dónde (DOHN-deh) where?

Doña (DOH-n'yah) title of respect before feminine first names; e.g., Doña Clara

dormitorio (dohr-mee-TOH-r'yoh) bedroom

dos (dohs) two

doscientos, -as (dohs-th'YEHN-tohs, -tahs) two hundred

dulce (DOOL-theh) candy (noun), sweet (adjective)

duro, -a (DOO-roh, -rah) hard

E

Eduardo (eh-d'WAHR-doh) Edward

ejemplo (eh-HEHM-ploh) example

ejercicio (eh-hehr-THEE-th'yoh) exercise

el (ehl) the

él (ehl) he

elefante (eh-leh-FAHN-teh) elephant

Elena (eh-LEHN-ah) Helen

ella (EH-l'yah) she

ellas (EH-l'yahs) they (feminine)

ellos (EH-l'yohs) they (masculine and neuter)

en (ehn) into, at, on

en punto (ehn POON-toh) exactly (relative to clock time)

entrar (ehn-TRAHR) to enter

entre (EHN-treh) between, among

ésa (EH-sah) that one (feminine)

escribir (ehs-kree-BEER) to write

escritorio (ehs-kree-TOH-r'yoh) desk

escuela (ehs-KWEH-lah) school

espalda (ehs-PAHL-dah) back

España (ehs-PAH-n'yah) Spain

español, -a (ehs-pah-n'YOHL, -lah) Spanish, Spaniard

espárrago (ehs-PAH-rrah-goh) asparagus

espinaca (ehs-pee-NAH-kah) spinach

ésta (EHS-tah) this one (feminine)

Estados Unidos de Norte-América (ehs-TAH-dohs oo-NEE-dohs deh NOHR-teh-ah-MEH-ree-kah) United States of North America

estar (ehs-TAHR) to be

este (EHS-teh) this (masculine)

esto (EHS-toh) this (neuter)

excelente (ehk-theh-LEHN-teh) excellent

F

falda (FAHL-dah) skirt

familia (fah-MEE-l'yah) family

Federico (feh-deh-REE-koh) Frederick

Felipe (feh-LEE-peh) Philip

feliz (feh-LEETH) happy

feo, -a (FEH-oh, -ah) ugly

ferrocarril (feh-rroh-kah-RREEL) railroad

fiesta (f'YEHS-tah) party, feast, celebration

filete de res (fee-LEH-teh deh rehs) roast beef

finalmente (fee-nahl-MEHN-teh) finally

flor (flohr) flower

francés, -esa (frehn-THEHS, frahn-THEH-sah) French, Frenchman, Frenchwoman

frase (FRAH-seh) phrase

fresa (FREH-sah) strawberry

frío, -a (FREE-oh, -ah) cold

fruta (FROO-tah) fruit

fuera de (FWEH-rah deh) outside of

fuerte (f'WEHR-teh) strong

fútbol (FOOT-bohl) football (but soccer, not American football)

G

gallina (gah-l-YEE-nah) hen

galleta (gah-l'YEH-tah) cracker

garaje (gah-RAH-heh) garage

gato, -a (GAH-toh, -tah) cat

geografía (heh-oh-grah-FEE-ah) geography

globo (GLOH-boh) balloon

gorra (GOH-rrah) cap

gracias (GRAH-th'yahs) thanks

grado (GRAH-doh) grade

grande (GRAHN-deh) big

gris (grees) grey

guante (GWAHN-teh) glove

guisante (ghee-SAHN-teh) pea

guitarra (ghee-TAH-rrah) guitar

gustar (goos-TAHR) to like, to taste

gusto (GOOS-toh) taste

H

habichuela (ah-bee-CHWEH-lah) string bean

hablar (ah-BLAHR) to speak, to talk

hacer (ah-THEHR) to do, to make

hasta (AHS-tah) until, up to

hasta la vista (AHS-tah lah VEES-tah) so long

hasta luego (AHS-tah l'WEH-goh) so long

hay (eye) there is, there are, is there? are there?

helado (eh-LAH-doh) ice cream

hermano, -a (ehr-MAH-noh, -nah) brother, sister

hermoso, -a (ehr-MOH-soh, -sah) beautiful, handsome

hijo, -a (EE-hoh, -hah) son, daughter

hipopótamo (ee-poh-POH-tah-moh) hippopotamus

hombre (OHM-breh) man

hombro (OHM-broh) shoulder

hora (OH-rah) hour

Hugo (OO-goh) Hugo

I

India (EEN-d'yah) India

Inglaterra (een-glah-TEH-rrah) England

inglés, -esa (een-GLEHS, een-GLEH-sah) English, Englishman, Englishwoman

inteligente (een-teh-lee-HEHN-teh) intelligent

interesante (een-teh-reh-SAHN-teh) interesting

invitado, -a (een-vee-TAH-doh, -dah) guest

invitar (een-vee-TAHR) to invite

ir (eer) to go

Isabel (ee-sah-BEHL) Isabel

Italia (ee-TAH-l'yah) Italy

italiano, -a (ee-tah-l'YAH-noh, -nah) Italian

izquierdo, -a (eeth-k'YEHR-doh, -dah) left

J

Jaime (HIGH-meh) James
jamón (hah-MOHN) ham
Japón (hah-POHN) Japan
jardín (hahr-DEEN) garden
jaula (HOW-lah) cage
Jorge (HOHR-heh) George
José (hoh-SEH) Joseph
Juan (hwahn) John
Juanita (hwah-NEE-tah) Juanita
juego (HWEH-goh) game
jueves (HWEH-vehs) Thursday
jugar (hoo-GAHR) to play
juguete (hoo-GHEH-teh) toy

L

la (lah) the
lado (LAH-doh) side
lápiz (LAH-peeth) pencil
largo, -a (LAHR-goh, -gah) long
las (lahs) the (feminine plural)
"Las Mañanitas" (lahs mah-
    n'yahn-EE-tahs) "The Little
    (or Early) Mornings" —
    a birthday song
lección (lehk-th'YOHN) lesson
leche (LEH-cheh) milk
lechuga (leh-CHOO-gah) lettuce
leer (leh-EHR) to read
legumbre (leh-GOOM-breh)
    vegetable
lejos de (LEH-hohs deh)
    far from
lengua (LEHN-gwah) language,
    tongue
león (leh-OHN) lion
letra (LEH-trah) letter (of the
    alphabet
libro (LEE-broh) book
limón (lee-MOHN) lemon
los (lohs) the (masculine and
    neuter)
Lucía (LOO-th'yah) Lucia
lunes (LOO-nehs) Monday

M

madre (MAH-dreh) mother
maíz (mah-EETH) corn

mamá (mah-MAH) mama
mano (MAH-noh) hand
Manuel (mahn-WEHL) Manuel
manzana (mahn-THAH-nah)
    apple
mañana (mah-n'YAH-nah)
    morning, tomorrow
mantequilla (mahn-teh-KEE-
    l'yah) butter
mapa (MAH-pah) map
Marco (MAHR-koh) Mark
María (mah-REE-ah) Mary
martes (MAHR-tehs) Tuesday
más (mahs) more
mayo (MAH-yoh) May
media (MEH-d'yah) stocking
melocotón (meh-loh-koh-TOHN)
    peach
menos (MEH-nohs) less
mesa (MEH-sah) table
mexicano, -a (meh-hee-KAH-
    noh, -nah) Mexican
México (MEH-hee-koh) Mexico
mi (mee) my
miel (m'yehl) honey
miércoles (mee-EHR-koh-lehs)
    Wednesday
mil (meel) thousand
millón (mee-l'YOHN) million
mirar (mee-RAHR) to look, to
    look at
mono, -a (MOH-noh, -nah)
    monkey
morado, -a (moh-RAH-doh, -dah)
    purple
muchacho, -a (moo-CHAH-choh,
    -chah) boy, girl
mucho, -a (MOO-choh, -chah)
    much
mujer (moo-HEHR) woman
muñeca (moo-n'YEH-kah) doll,
    (also) wrist
música (MOO-see-kah) music
muy (mwee) very

N

nada (NAH-dah) nothing
nadar (nah-DAHR) to swim
nadie (NAH-d'yeh) no one

naranja (nah-RAHN-hah)
    orange
naríz (nah-REETH) nose
naturalmente (nah-too-rahl-
    MEHN-teh) naturally
negro, -a (NEH-groh, -grah)
    black
nevera (neh-VEH-rah) icebox
nieto, -a (n'YEH-toh, -tah)
    grandson, granddaughter
niño, -a (NEE-n'yoh, -n'yah)
    child
no (noh) no
noche (NOH-cheh) night
no hay de qué (noh eye deh
    KEH) it is nothing (in answer
    to thanks)
norteamericano, -a (NOHR-teh-
    ah-meh-ree-KAH-noh, -nah)
    North American
nosotros, -as (nohs-OH-trohs,
    -trahs) we
novecientos, -as (NOH-veh-
    th'YEHN-tohs, -tahs) nine
    hundred
noveno, -a (noh-VEH-noh, -nah)
    ninth
noventa (noh-VEHN-tah) ninety
nuestro, -a (n'WEHS-troh, -trah)
    our
nueve (n'WEH-veh) nine
número (NOO-meh-roh)
    number

O

o (oh) or
ochenta (oh-CHEHN-tah)
    eighty
ocho (OH-choh) eight
ochocientos, -tas (OH-choh-
    th'YEHN-tohs, -tahs) eight
    hundred
octavo, -a (ohk-TAH-voh, -vah)
    eighth
ojo (OH-hoh) eye
once (OHN-theh) eleven
oreja (oh-REH-hah) ear
oso, -a (OH-soh, -sah) bear
otro, -a (OH-troh, -trah) other

P

padre (PAH-dreh) father

padres (PAH-drehs) parents

país (pah-EES) country (nation)

pájaro (PAH-hah-roh) bird

palabra (pah-LAH-brah) word

palo (PAH-loh) stick

pan (pahn) bread

pantalón (pahn-tah-LOHN) trousers

pañuelo (pah-n-you-EH-loh) handkerchief

papa (PAH-pah) potato

papá (pah-PAH) papa

papel (pah-PEHL) paper

Paquita (pah-KEE-tah) Paquita

para (PAH-rah) for, in order to

pardo, -a (PAHR-doh, -dah) brown

pared (pah-REHD) wall

parque (PAHR-keh) park

parte (PAHR-teh) part

pavo (PAH-voh) turkey

pavo real (PAH-voh reh-AHL) peacock

pecho (PEH-choh) chest

Pedro (PEH-droh) Peter

pegar (peh-GAHR) to hit

pelo (PEH-loh) hair

pelota (peh-LOH-tah) ball

Pepito (peh-PEE-toh) dim. José

pequeño, -a (peh-KEH-n'yoh, -n'yah) small

pera (PEH-rah) pear

perfecto, -a (pehr-FEHK-toh, -tah) perfect

periódico (peh-ree-OH-dee-koh) newspaper

pero (PEH-roh) but

perro, -a (PEH-rroh, -rah) dog

persona (pehr-SOH-nah) person

pescado (pehs-KAH-doh) fish (*after* it is caught)

peso (PEH-soh) peso (money unit used in various Spanish-speaking countries)

pez (pehth) fish (when alive in the water)

piano (p'YAH-noh) piano

pie (p'yeh) foot

pierna (p'YEHR-nah) leg

Pilar (pee-LAHR) Pilar

pimienta (pee-m'YEHN-tah) pepper

piña (PEE-n'yah) pineapple

piñata (pee-n'YAH-tah) grab-bag for breaking with a stick at parties

piscina (pee-SEE-nah) swimming pool

pizarra (pee-THAH-rrah) blackboard

plátano (PLAH-tah-noh) banana

plato (PLAH-toh) plate

playa (PLAH-yah) beach

pluma (PLOO-mah) pen

pollo (POH-l'yoh) chicken

poner (poh-NEHR) to put

poquito, -ta (poh-KEE-toh, -tah) very little

por (pohr) by, for, through

por favor (pohr fah-VOHR) please

precioso, -a (preh-th'YOH-soh, -sah) precious, beautiful

preguntar (preh-goon-TAHR) to ask

primero, -a (pree-MEH-roh, -ah) first

profesor, -a (proh-feh-SOHR, -ah) teacher

programa (proh-GRAH-mah) program

puerta (PWEHR-tah) door

Q

que (keh) who, that, which, whom, than

qué (keh) what? how?

quién (k'yehn) who?

quince (KEEN-theh) fifteen

quinientos, -as (kee-n'YEHN-tohs, -tahs) five hundred

quinto, -a (KEEN-toh, -tah) fifth

R

radio (RAH-d'yoh) radio

rápido, -a (RAH-pee-doh, -dah) fast

raqueta (rah-KEH-tah) racquet

ratón (rah-TOHN) mouse

regalo (reh-GAH-loh) gift

responder (rehs-pohn-DEHR) to answer

restaurante (rehs-tow-RAHN-teh) restaurant

Ricardo (ree-KAHR-doh) Richard

rico, -a (REE-koh, -kah) rich

Roberto (roh-BEHR-toh) Robert

rodilla (roh-DEE-l'yah) knee

rojo, -a (ROH-hoh, -hah) red

romper (rohm-PEHR) to break

ropa (ROH-pah) clothing

rosa (ROH-sah) rose

Rosa (ROH-sah) Rose

Rosita (roh-SEE-tah) diminutive of Rosa

rubio, -a (ROO-b'yoh, -b'yah) blond, blonde

ruso, -a (ROO-soh, -sah) Russian

S

sábado (SAH-bah-doh) Saturday

saber (sah-BEHR) to know

sal (sahl) salt

sala (SAH-lah) living room

salir (sah-LEER) to leave, to go out

saltar (sahl-TAHR) to jump

salvaje (sahl-VAH-heh) savage

segundo, -a (seh-GOON-doh, -dah) second

seis (SEH-ees) six

seiscientos, -as (SEH-ees-s'YEHN-tohs, -tahs) six hundred

sentado, -a (sehn-TAH-doh, -dah) seated

señor (seh-n'YOHR) Mr., sir, gentlemen

señora (seh-n'YOH-rah) Mrs.,
Madam, lady

señorita (seh-n'yoh-REE-tah)
Miss, young lady

séptimo, -a (SEHP-tee-moh,
-mah) seventh

ser (sehr) to be

serpiente (sehr-p'YEHN-teh)
serpent

servir (sehr-VEER) to serve

sesenta (seh-SEHN-tah) sixty

setecientos, -as (SEH-teh-
th'YEHN-tohs, -tah) seven
hundred

setenta (seh-TEHN-tah) seventy

sexto, -a (SEHKS-toh, -tah) sixth

sí (see) yes

siete (s'YEH-teh) seven

silla (SEE-l'yah) chair

sobre (SOH-breh) on, upon,
over

sofá (soh-FAH) sofa

sol (sohl) sun

sombrero (sohm-BREH-roh)
hat

sopa (SOH-pah) soup

su, sus (soo, soos) your, his, her,
its, their

suelo (SWEH-loh) soil, ground

T

también (tahm-b'YEHN) also

tan (tahn) as, so, so much

tapar (tah-PAHR) to cover

tarde (TAHR-deh) afternoon,
late

taza (TAH-thah) cup

té (teh) tea

teléfono (teh-LEH-foh-noh)
telephone

televisión (teh-leh-vee-s'YOHN)
television

tenedor (teh-neh-DOHR) fork

tener (teh-NEHR) to have,
to hold

tercero, -a (tehr-THEH-roh, -rah)
third

terminar (tehr-mee-NAHR) to
finish

tigre (TEE-greh) tiger

toalla (toh-AH-l'yah) towel

tocar (toh-KAHR) to touch, to
play (an instrument)

todo, -a (TOH-doh, -dah) all

tomar (toh-MAHR) to take, to
drink

tomate (toh-MAH-teh) tomato

torta (TOHR-tah) cake

traer (trah-EHR) to bring, to
wear, to carry

traje de baño (TRAH-heh deh
BAH-n'yoh) bathing suit

trece (TREH-theh) thirteen

treinta (treh-EEN-tah) thirty

tren (trehn) train

tres (trehs) three

trompo (TROHM-poh) top
(for spinning)

tulipán (too-lee-PAHN) tulip

U

Ud. (oo-STEHD) you

Uds. (oo-STEH-dehs) you
(plural)

un (oon) a, one

una (OO-nah) a, one (fem.)

unos (OO-nohs) a few, some

uva (OO-vah) grape

V

vaso (VAH-soh) glass (tumbler)

veinte (VAIN-teh) twenty

venir (veh-NEER) to come

ventana (vehn-TAH-nah)
window

ver (vehr) to see

verbo (VEHR-boh) verb

verde (VEHR-deh) green

vestido (vehs-TEE-doh) suit,
dress

viernes (v'YEHR-nehs) Friday

violeta (vee-oh-LEH-tah) violet

violín (vee-oh-LEEN) violin

visitar (vee-see-TAHR) to visit

Y

y (ee) and

yo (yoh) I

Z

zanahoria (thah-nah-OH-r'yah)
carrot

zapato (thah-PAH-toh) shoe

jardín zoológico (hahr-DEEN
thoh-oh-LOH-hee-koh) zoo